världens dåligaste språk

fredrik lindström

världens dåligaste språk

tankar om språket och människan idag

Albert Bonniers Förlag

Av Fredrik Lindström har utgivits:

Värdens dåligaste språk 2000
Vad gör alla superokända människor hela dagarna? 2001
Jordens smartaste ord 2002

www.albertbonniersforlag.se

ISBN 91-0-057409-0
Åttionde – etthundrafjärde tusendet

Sättning Bonniers Fotosätteri
WS Bookwell, Finland 2003

Innehåll

förord

I ett TV-program härom året skulle det samtalas om det svenska språket, och jag blev tillfrågad vilket det vackraste ordet var. Jag tänkte först säga ”rodna”, dels därför att det ger sådana behagliga associationer (man tänker på blyga flickor och mjuka kinder), dels därför att det är en sån vacker ordbildning (bildat till ordet ”röd” med ändelsen ”-na”, vilket betyder 'övergå i ett annat tillstånd', som i ”gulna”, ”tröttna”, ”ledsna”). Men efter en stunds betänketid bestämde jag mig ändå för ”kvällssol”, eftersom det ordet är som att kliva in i en stämning av värme och en underbar, förgänglig livskänsla.

Samtidigt kunde jag inte låta bli att tänka på när jag en gång i tonåren tillsammans med några andra killar hade en lång diskussion om vilket som var svenskans fulaste ord. Det kom upp en hel del fantasifulla alternativ – innan ”grisfitta” utan vidare avgick med segern. Jag minns att jag rös, trots att jag var härdad.

Ord är något som blixtsnabbt kan utlösa känslor, minnen och associationer på samma sätt som lukter kan göra; du kliver in i en farstu och plötsligt luktar det som det gjorde hemma hos din farmor och farfar; doften av syrenen kan frigöra känslan av skolexamen och studentuppvaktningar på bråkdelen av en sekund. Så är det med orden, begrepp som ”lånbytas”, ”pyspunka” och ”puttersmälla” kan med en gång förflytta mig till lågstadiet, ”vrålhångla” och ”varmröka” till tonårstidens korvkiosker och moppegarage. Uttryck som ”alla tiders” och ”fina fisken” tar oss med till 40- och 50-talens svenska långfilmsvärld – för att inte tala om ”kandidaten” och ”grosshandlarn”. Med begrepp som ”räntefälla” och ”lyxknark” stiger vi in i kvällstidningarnas värld, medan en mening som ”byxan är av helrätt modell” väcker liv i lätt förgångna postorderkataloger. ”Framstjärt” och ”odygdspåse” vittnar om en syn på barn och uppfostran som idag förhoppningsvis är utdöd. Och vackra ord som ”vemod” och ”höstkänning” kan på bråkdelen av en sekund ingjuta ett mått av poesi i vår tillvaro.

Denna kärleksförklaring hoppas jag är motivation nog till den här boken. Jag har försökt fylla den med rikliga exempel på ord och uttryck ur det svenska språket. När det gäller kategoriseringen av dem vill jag betona att den är att betrakta som ungefärlig, många populära modeord har givetvis förekommit under flera decennier – jag har då valt att lista dem under det årtionde som jag anser att de var populärast. Här kan man ha synpunkter, men jag har ändå tyckt att det varit bättre att presentera alla i klump.

Jag vill betona att det här är en bok riktad till vanliga, språkintresserade människor i första hand. Min tydliga målsättning har varit att göra den tillgänglig för alla och inte bara för språkvetare. Vad gäller den vetenskapliga redovisningen kan den därför lämna en del övrigt att önska, men längst bak finns en genomgång av den viktigaste använda litteraturen och vidareläsningstips. Då inget annat redovisas bygger jag på mina egna tankar i kombination med mer allmänt kända vetenskapliga rön.

När det gäller insprängda "ordspalter" samt en del annat har jag haft ovärderlig hjälp av Sofia Wingren, som idogt arbetat med materialsökning till boken. Jag vill också tacka vänner och närstående för ett tålmodigt lyssnande och många berikande synpunkter och uppslag.

Stockholm 23 juli 2000

1

åtta miljoner förbundskaptener

vem bestämmer egentligen över språket?

Om man frågar människor vem som *äger* det svenska språket så blir de ofta osäkra för ett ögonblick. Men så tar någon mod till sig och svarar: det är förstås vi själva. Det är nästan självklart, men ändå inte riktigt. Man måste fundera några sekunder: det är väl inte så att det är Svenska Akademien? Eller staten eller någon språknämnd? Efter en liten stund inser man att det skulle vara löjligt. Hela frågan är ju befängd, det är snudd på som att fråga: vem äger den svenska kulturen? Eller det svenska sexlivet?

Ingen kan äga ett språk, inte ens ett enstaka ord. Man kan i och för sig registrera ett ord eller namn som varumärke och skydda det, men det gäller bara så länge det inte redan har eller utvecklar en mer generell betydelse i språket. Ord som ”grammofon”, ”jeep”, ”masonit”, ”dynamit”, ”galon” och ”tomtebloss” var från början varumärken, men deras betydelse har sedan blivit så allmän att det inte längre går att göra anspråk på dem. Ingen kan förbjuda människor att använda ett ord; de som äger varumärket ”Pucko” kan ingenting göra åt att folk använder det som ett skällsord. (Däremot tycks etablerade ord och fraser tendera att försvinna ur språket om någon skapar ett framgångsrikt varumärke av dem – vem använder idag längre ett uttryck som ”lätt och lagom”?)

Men vem *bestämmer över* språket då? Här kan man genast bli ännu osäkrare och både akademien och olika språknämnder kliver fram som kandidater. Men så tänker man än en gång efter. Hur skulle de kunna bestämma över hur folk pratar och skriver? Det är ju helt orimligt. Vad skulle de göra när folk inte höll sig till deras bestämmelser? Skicka ut språkpolisen när folk säger ”ja ba” eller slarvar med kommateringen? Dagsböter? Villkorligt?

Självklart *kan* ingen bestämma över språket, däremot är det många som *vill*. Och det är en helt annan sak. Men det är inte vare sig akademien eller språknämnden, för de vet sina uppgifter. Den som skriver ordböcker ska beskriva svenska språket så som det *är*, inte försöka tala om hur det *borde* vara. Har majoriteten bestämt sig för att något är rätt så spelar det ingen roll om det egentligen är fel. Till exempel säger man idag ”knyta – knöt – knutit”, och alla ordboksförfattare rättar sig efter det. De försöker inte uppfostra nån att böja ”knyta – knytte – knytt”, som det faktiskt borde heta (det är egentligen ett svagt verb). Och språknämnden ger goda råd till den som undrar, men den som inte vill ha de goda råden kan blankt strunta i dem.

Däremot är det, som sagt, många som *vill* bestämma över det svenska språket. Det verkar ligga i människans natur att vara lite besserwisser. Precis som landet svämmas över av "förbundskaptener" vid varje större hockey- eller fotbollsturnering – och som vet exakt hur landslaget ska matchas – så finns det miljontals språkpoliser i det här landet som vill upprätta lag och ordning i sin omgivning utifrån vad de lärt sig i skolan och av sina föräldrar. Problemet är bara, liksom med förbundskaptenerna, att det kan finnas mer än åtta miljoner åsikter om vad som är rätt och fel. Och rätt och fel i språket handlar väldigt mycket om tycke och smak, det ska ni få se många exempel på i den här boken. Om man följer hur det *egentligen heter* skulle man i praktiken få återupprätta något slags medeltidssvenska – ett språk som skulle vara både obegripligt och osmidigt för de flesta.

Däremot vill man ju inte hindra människor från att ha åsikter om språket. Alla får tycka vad de vill. Jag har inte skrivit den här boken för att uppfostra andra. Det finns sällan någon anledning att verkligen lägga sig i andra människors språk, undantaget är väl om de verkligen inte gör sig förstådda.

Men det är intressant att reda ut vad som är sanning och vad som är myt när det gäller olika språkfrågor. Och det kan finnas många skäl att försöka ingjuta en smula självförtroende i människor inför deras eget språk. För de flesta svenskar verkar leva i föreställningen att de egentligen inte riktigt kan sitt eget modersmål.

Världens dåligaste språk

Jag hörde en gång några killar stå och prata om det svenska språket. En av dem påstod att svenskan är ett av ”världens dåligaste språk”. Jämfört med exempelvis engelskan så är vårt språk helt underlägset; fattigt på ord, uttryck och synonymer. Det kunde de andra mycket väl tänka sig, men en av dem tog sikte på vad hans kompis just sagt. Det heter inte ”dåligaste” invände han, utan ”sämsta”. Och ingen opponerade sig.

Med den inställningen kan nog svenskan bli ett av världens dåligaste språk, så småningom – om nu sånt går att mäta. Men att säga att svenska språket är dåligt är ungefär lika konstruktivt som att hävda att ”allt bara är det här jävla samhällets fel”. Det är bekvämt och lagom skrövligt, men rent sakligt förflyttar det oss inte framåt en centimeter.

Det är dock inte ovanligt att höra svenskar kritisera sig själva. Vi har ofta en mycket självkritisk hållning; hos oss är ”osvensk” ett positivt begrepp och vi är aldrig sena att framhäva hur stela, inbundna och smått hopplösa vi är. Det här gäller också vårt språk: det är allmänt dåligt, med brister i ordförråd och uttrycksmöjligheter. Dessutom slarvar folk med det; de kan inte sitt eget modersmål och det blir bara värre och värre. ”Språkmissbruket i det här landet börjar bli ett ännu större problem än systembolagets öppettider”, säger lärarinnan Vera tidstypiskt i Kristina Lugns pjäs *Nattorienterarna*.

Att klaga på språkmissbruket kan vara ett sätt att hävda sig indirekt. Man låter då antyda att man själv är kultiverad och genomtänkt, vilket så att säga ska läsas emellan raderna. Dessutom höjer man ett varnande finger mot degenereringen och visar att man står på samhällets sida. De som ställer sig på människornas sida och försvarar talspråket är lätt räknade.

Varför tror vi då själva att vi är så dåliga på att använda vårt språk? Varför tror vi alltid att de som rättar oss har rätt? Vi känner oss ofta som man gör om man står i sin trädgård, och någon kommer och säger att man borde beskära körsbärsträden, eller använda ett speciellt medel så att man inte får angrepp på sin rododendron. Vad har man att sätta emot?

Rent sakligt kan man visst säga ”dåligaste”, det är helt logisk svenska: ”dålig – dåligare – dåligast”. Anledningen till att en del försöker förneka den formen är att ”sämre” och ”sämst” då blir utan huvudord i språket (något adjektiv som ”säm” har inte synts till på de senaste århundradena). Och eftersom man böjer ”dålig – sämre – sämst” får man för sig att man inte kan böja ”dålig – dåligare – dåligast”. Och i samma andetag kan man klaga på att svenska språket saknar synonymer!

Den här boken kommer att handla mycket om det svenska språket och jag ska försöka besvara många av alla de frågor som ställs om vad som egentligen är rätt och fel, vad som är bra och dåligt, med mera.

Men minst lika mycket kommer boken att handla om vår syn på oss själva, våra låga tankar om oss själva. För det som utmärker den moderna människan idag, och kanske särskilt oss svenskar, är just den stora självunderskattningen. Vi tycker att naturen är sinnrik och underbar och vi anser att den värld vi byggt är beundransvärd och enastående. Här finns tekniska konstruktioner för allt, datorer som kan utföra tusentals uträkningar per sekund och varje dag överraskas vi av nya bländande uppfinningar.

Människan själv däremot har vi inte så stort förtroende för; hon slarvar och smutsar ner, sjukfuskar och svartjobbar. Hon är inte alltid någon idealisk medborgare i sin egen värld. Som vi kommer att se i boken så är samhällets intressen och människans egna inte alltid förenliga – och det märkliga är att vi i vissa typer av konfliktsituationer allt oftare tycks vara på samhällets sida, istället för på vår egen.

Det här är i vissa avseenden en civilisationskritisk bok, vilket jag inte vill sticka under stol med. Men jag är inte ute efter att kritisera den skriftspråkliga kulturen i sig, jag vill bara återupprätta talspråkets rättmätiga värde. Dessutom hoppas jag kunna slå hål på så många som möjligt av de nedvärderande myter som cirkulerar kring vårt språk, och genom mängder av exempel visa att svenskan i själva verket är ett innehållsrikt, fantasifullt och mångfasetterat språk. Eller åtminstone kan vara det – det är faktiskt upp till oss själva.

2

bollplank och tantsnusk

historien om det

mänskliga tänkandet

Samarbeta för att överleva

Människan har två starka krafter i sig – om vi ser på henne rent biologiskt. Hon vill överleva. Och hon vill fortplanta sig. Allting vi gör och säger är ytterst på något sätt kopplat till dessa drivkrafter. Vissa saker är självklara: utbildning och arbete har i slutändan med överlevnaden att göra, kärleks- och sexliv och olika varianter av familjebildning hänger ihop med fortplantningsdriften. Men vi tänker knappast på att också hela vårt sociala liv och beteende styrs av såna krafter. Ändå präglar det oss hela tiden. En människa blir lätt deprimerad av för mycket ensamhet – varför? Jo, för att vi självmant ska söka oss till varandra, då har vi större chans att överleva.

Människan är ett flockdjur; hon klarar sig bäst om hon samarbetar. Genom alla tider har hon bättre kunnat överlista naturens alla krafter, jaga, samla föda och skydda sina små knattingar om hon organiserat sig tillsammans med andra. Det har från början ingenting med förnuft att göra, utan är ett rent instinktivt beteende. Än idag är den instinkten oerhört stark, och vi kan se oräkneliga exempel på hur människor sluter sig samman i olika former av grupper och mer eller mindre sunda gemenskaper.

Det är med den här drivkraften som bakgrund vi måste förstå uppkomsten av språket. Det antas allmänt att när våra förfäder började gå upprätt så ökade deras behov av en snabb kommunikation. Ju mer de samarbetade, desto större var deras chanser att överleva. Och ju snabbare kommunikationen löpte, desto effektivare blev samarbetet.

Samarbete är något av ett nyckelord när det gäller människan och hennes språk. Ensam skulle hon aldrig kunnat utveckla det, varje ord och stavelse har krävt ett entusiastiskt samspel. Genom att samarbeta och pröva oss fram så har vi under åtskilliga årtusenden tillsammans konstruerat alla de sinnrika och komplicerade språk som finns på jorden. Människan är helt enkelt ett däggdjur som uppfunnit ett kommunikationsredskap som ökat hennes möjligheter att överleva. Undan för undan har hon förfinat det här redskapet, så att det gett henne insikter att överlista naturen och inte behöva kämpa för sin överlevnad bland andra däggdjur. Hon kan lugnt sitta hemma och klaga på vad mycket smörja som visas på TV istället.

Vad den nedärvda biologiska överlevnadsdriften förmodligen inte räknade med var att språket också skulle föra med sig ett självständigt tänkande. Ett tänkande där man kan ifrågasätta, resonera och fundera och komma fram till en massa olika saker. Som att "nästa sommar borde bli betydligt varmare", eller att "GAIS måste förstärka på mittfältet om de ska ha någon chans att hänga kvar i allsvenskan". Eller kanske just insikten om det faktum att man är en biologisk varelse som styrs av nedärvda drifter. Det är nämligen något som andra biologiska varelser inte har en aning om.

En tillvaro utan språk

Man kan alltså säga att människan är den enda biologiska varelsen som *vet om* att hon är en biologisk varelse. Om vi nu behövde definitioner på vad som skiljer oss från djuren? Det är väl ändå uppenbart. Hela vårt dagliga liv är ju så totalt väsensskilt, det finns inga andra arter på jorden som ens har ett fast arbete. Än mindre som hyr videofilmer, köper sushi på hemvägen eller flyger till New York och sitter 10 000 meter upp i luften och dricker kaffe. Vi har ett rent tekniskt och materiellt övertag, men vad bottnar det i?

Föga överraskande är svaret språket. Man brukar prata om att människan är medveten om sig själv. När man vet om att man har fötts och att man en gång kommer att dö, då är man inget djur längre utan en människa. Språket, redskapet som egentligen bara var till för kommunikation, visade sig också utveckla själva intellektet hos människan. Först när man kan sätta ord på saker blir de realiteter i vår tankevärld. Människan kan tänka och skapa nya begrepp, som "svågerpolitik" och "tantsnusk", vilket för henne allt längre bort från djuren.

Nyord 1930-tal:
arvsanlag
rasist
sexualbrott
tonåring
övergångsställe
snickarglädje
porttelefon
muck
skyddsombud
rakvatten

Vi kan å andra sidan aldrig få reda på hur djuren egentligen tänker och hur de upplever världen, men vår nyfikenhet kommer ständigt att spöka kring de frågorna. Hur fungerar ett tänkande utan ord? Hur uppfattar man tillvaron om man inte har något språk? Eller omvänt; hur stor betydelse har språket för vår världsuppfattning? Förmodligen mycket större än vi kan föreställa oss.

En del rapporter ger hisnade perspektiv. I Chartres i Frankrike levde i början av 1700-talet en ung man, som hade varit döv sedan födseln. En dag gick han för nära några ringande kyrkklockor, varpå ett under inträffade – han kunde höra för första gången i sitt liv (man misstänker ju här att han gått omkring med något slags kroniska vaxproppar). I alla händelser blev miraklet omtalat och den franska vetenskapsakademien blev ordentligt till sig, för nu ville man få svar på en av de frågor som flitigt diskuterades bland den tidens lärda: Har människan en medfödd föreställning om att det finns en Gud, eller är det bara ett påhitt vi lär oss av varandra? Vem skulle kunna svara på den frågan bättre än en person som gått omkring och varit döv och inte kunnat prata med sin omgivning (det välutvecklade teckenspråket som vi är vana vid var ju ännu inte uppfunnet).

De svar man fick av den tidigare döve mannen var intressanta. Han hade absolut inte haft någon föreställning om någon Gud, trots att han gick i kyrkan med sin familj varje vecka. Ännu mer överraskande var att han inte hade förstått att döden fanns och att människor kunde dö, trots att han sett flera nära släktingar avlida och deltagit i deras begravningar. Hur han egentligen reagerat på deras avsomnande och bortgång är svårt att förstå, men uppenbart var att han inte reflekterat över det, och därmed inte heller kunnat ta in det.

Nyord 1940-tal:

deckare

plast

folkmord

flygvärdinna

väskryckare

barnvakt

atombomb

bikini

samtalsterapi

rattfull

fotomodell

Man föreställer sig hans förspråkliga liv som en

fullkomligt oreflekterad tillvaro som bara styrts av enkla basbehov, något som stämmer mycket väl med den situation som Helen Keller beskrivit. Hon var född döv-stum-blind men kunde så småningom få kontakt med omvärlden genom att lära sig ett slags teckenspråk som man tryckte i hennes handflata. Med detta förändrades hennes tillvaro fullständigt; med språket kom kontakten med omgivningen, innan dess hade hennes liv bara varit ett slött vegeterande.

Utan språk är människan som art mycket lik vilket annat djur som helst. Då styr basdrifterna oss utan någon som helst förfining, och vi har inget självmedvetande. Civilisationens fernissa är tunn, och helt beroende av språket.

Våra påhittiga förfäder

Det finns idag ungefär 3000 olika språk på jorden, fast de flesta talas bara av rätt små befolkningsgrupper. Vi vet inte mycket om deras tillkomst och vi kan egentligen bara gissa hur gamla de är. Vi vet inte heller om alla språk från början är släkt och stammar från ett enda urspråk, eller om människan så att säga uppfunnit språket på flera olika håll, oberoende av varandra. När det gäller alla sådana frågor är det egentligen bara *en* fråga man kan besvara med hundraprocentig säkerhet: Vem har hittat på alltihopa? Jo, det är människan själv.

Det mesta annat som är sinnrikt och komplicerat i vår värld, och som inte skapats av vetenskapen de senaste århundradena, det brukar höra till naturen – skapat av evolutionen, eller möjligen av Gud. Språken har människan själv uppfunnit. I många äldre folkliga kulturer finns föreställningar och myter om att människan fått språket av besökare från yttre rymden, men de ryktena kan vi utan problem avfärda idag. Det är vi själva som är ansvariga.

Det här är förstås självklarheter, men i den tid vi lever i måste det trots allt strykas under. Vi går ändå i skolan för att lära oss vårt eget språk, slår upp i grammatikor och ordböcker för att få reda på om ord finns och förväntar oss att språknämnder ska ha svar på vad som är okej eller inte. Då kan det vara nyttigt att tänka på att språken i tiotusentals år klarat sig utmärkt utan alla sådana hjälpmedel, att människor på egen hand konstruerat alla grammatiska system och hittat på alla finurliga ord utan minsta tanke på att fråga någon annan om lov eller konsultera någon expert.

Nyord 1950-tal:

hemmafru
popcorn
deodorant
banta
djupfryst
extraknäck
raggare
påslakan
nedringd
påtänd
flygrädd

Trots att språket till hela sin grund är rörligt och föränderligt, så uppfattar vi det idag ofta som någonting som finns, en gång bestämt hur det ska vara och styrt av regler och lagar som alltid ska gälla. Det är inte alls konstigt att vi ser det så, eftersom vi bara får en glimt av föränderligheten under vår korta levnad. På samma sätt som vi ur vår begränsade synvinkel inte kan se att jorden är rund, så kan vi under en livstid inte få en tillräcklig utblick över språkets föränderlighet. Språket framstår som konstant för oss, precis som jorden ser platt ut.

Nyord 1960-tal:
miljöförstöring
könsroll
p-piller
diskotek
dator
kändis
postnummer
klämdag
popgrupp
buskörning
porrtidning
stekfärdig
ångestdämpande

Det är ungefär som en bit natur, en välbekant skogsbacke till exempel. Vi vet hur den ser ut, vi känner igen träd och växter där och i vår föreställningsvärld är det dess riktiga utseende. I själva verket förändrar den sig sakta hela tiden; landhöjningen fortsätter, träd dör, nya växer upp, människor gör ingrepp, nya blommor etablerar sig. Det är självklart.

Men föreställ er att vi anställde en trädgårdsmästare med uppgift att generation efter generation hålla skogsbacken oförändrad; att ta bort alla nya träd som slår rot, inte tillåta vitsippor att växa söder om stenen – helt enkelt försöka hålla allt så intakt som möjligt. Till en början skulle det gå bra, efter hand skulle det uppstå allt mer problem med träd som dog och andra växtlighetsförändringar, och till slut skulle situationen bli helt absurd – och uppdraget omöjligt.

Naturen är föränderlig, så också språket. Men många människor kämpar idag med föreställningen att den språkliga skogsbacke som omger dem ska vara i stort sett identisk, därför att de har lärt sig i skolan hur det ska vara. Vi ska längre fram i boken diskutera vad det beror på.

Vi kan bara tacka gudarna för att våra förfäder inte haft samma förvrängda syn på saken som många människor har idag, för då hade vi knappast haft något användbart språk nu. Många tror att vi har ett ansvar att bevara språket, men det vore riktigare att säga att vi har en skyldighet att förändra det. Inte som ett självändamål, men för att det hela tiden ska kunna täcka det vi behöver tänka, säga och skriva. För vi och vår värld förändras, vare sig vi vill det eller inte.

Våra påhittiga förfäder har förändrat språket och ständigt hittat på nya ord. Därför står vi där vi står idag. Var står vi imorgon – om vi plötsligt slutar att förnya vårt språk?

Språkens grundstenar

Språken på jorden är sinsemellan oftast ganska olika, och vilka ljud man använder sig av varierar mycket. Men allt är inte tillfälligheter, bland alla olikheterna anar vi språkets allmängiltiga system. Vokalerna bygger på motsättning, ”a” är den öppnaste, ”u” den rundaste slutna och ”i” den bredaste slutna (känn efter själv när du uttalar dem). De finns alltid med i alla språk och utgör själva grunden i systemet, och på den tydliga kontrasten bygger mängder av uttryck: tripp-trapp-trull, snick-snack, misch-masch, snipp-snapp-snut, tingel-tangel, kling-klang, ding-dong, piff-paff-puff, nippe-napp, tick-tack, ditt och datt, osv.

Försök hitta några som bygger på motsättningen ”i” – ”y” – ”e”, och du kommer att leta förgäves – den är inte tillräckligt tydlig.

Det är också tydligt att vokalerna har vissa symbolvärden som går tvärs över språkgränserna. Att ”a” ingår i de flesta ord för ”mamma” och ”pappa”, även om konsonanterna varierar, kan bero på att den är enklast för små barn att lära sig. Men det är slående att det öppna ”a”-ljudet (i svenskan även varianterna ”å” och ”ä”) ofta används för stora vida saker (gapa, vräka, jätte, åbäke, massor, mastig, mäktig), medan ”i” och ”y”, som är så ”smala” och sammanpressade ofta används i ord som har med tunnhet och litenhet att göra: fin, liten, ytte-pytte, strimma, rispa, pilla, lirka, *eng* thin, teeny-weeny.

Känslan att de här ljuden symboliserar litenhet går också säkert igen i det faktum att vuxna gärna ”pratar” på ”i” när de pratar och gullar med små barn.

Att ljud och ljudkombinationer kan bära symbolvärde märker vi även tydligt bland konsonanter. Det är svårt att hitta några utpräglat positiva ord som börjar på ”str”, däremot ett antal tydligt negativa: sträng, straff, stryk, strikt, strunt, stropp, strul, streta, stram, strid. Liknande är det med ”gn”, fastän mer kopplat till småaktighet och enformighet: gnälla, gno, gnissla, gnöla, gnida, gnata, gnabbas, gneta, gny. Kombinationen ”skr” är kopplad till olika slags mer eller mindre högljudda mänskliga aktiviteter: skrika, skräna, skråla, skrocka, skryta, skratta, skrävla, skrämmas, skramla. Däremot ”fl” har gärna att göra med att saker hänger eller rör sig i luften: flyga, fladdra, flaxa, fluga, flock, flagga, flinga, flik, flärp. Med det explosiva ”bl” uttrycker man förakt (för brist på innehåll): blä, blask, blaha, blaj, bludder – medan ”kl” tydligt syftar på motsatsen till lätthet och smidighet: klantig, kladd, klafsa, klet, klampa, kloss, klägg, klubba, klimpig, klumpig, klabb. Liknande är det med ”fs”: tjafs, hafs, bjäfs, slafsa, rafsa, rufsa, tufsig, glufsa – den gemensamma nämnaren är något slags slarv eller ytlighet.

Ibland finns det historiska förklaringar: att ”gl” inleder ett antal svenska ord med betydelse av att något öppnar sig (glo, glänta, glapp, glipa, glimt, glugg samt det underbara glöta, som egentligen betyder ’ta upp saker med händerna ur vätska’) verkar återgå på en historisk ordstam med just betydelsen ’öppna sig’. När det gäller alla ord på ”fj” som negativt syftar på någon form av ytlighet (fjant, fjams, fjompig, fjolla, fjäsk) så tycks ”fj” allmänt vara en ljudkombination som kan symbolisera lätthet (fjäder, fjun, fjärt).

Ljudsymbolik kan man hitta mängder av exempel på. Alla språk har en fantastisk känsla för ljudsymbolik och ljudhärmande, det som på fackspråk kallas för onomatopoesi.

Nästan alla ord i svenskan som beskriver ljud är från början skapade i ett försök att härma själva ljudet: vissla, susa, prassla, skrika, knastra, knaka, dundra, rassla, plumsa, snarka, kvittra.

På det viset är språket en imitatör, och det gör att vi ständigt ska kunna benämna nya ljud och företeelser som dyker upp. Om någon säger ”Vad var det som *knusprade*?” så skulle vi, utan att någonsin ha hört just det ordet, direkt få en uppfattning om ljudets karaktär (kanske lite kraftfullare och med mer ”kropp” än ett knaster).

När romarna mötte främmande folkstammar, ofta germaner norrut i Europa, så förstod de inte deras språk utan tyckte det lät ”bar bar bar”, och därför kallade man dem (och snart alla främlingar) för *barbarer*. Och det ordet har ju visat sig livskraftigt, liksom massor av andra ljudhärmningar.

Om ljudhärmande och ljudsymbolik är en hörnsten i språket, så är liknelsen eller metaforen en annan. Vårt språk är så nerlusat med metaforer att vi ofta aldrig ens tänker på dem när vi använder dem. Om jag säger att en flicka är söt, så reflekterar jag inte över att jag egentligen liknar henne vid en frukt eller dylikt, ”som skulle smaka sött”, om jag åt den. På samma sätt kan vi beskriva en människa som sur, besk, salt, fin (eg. ’tunn’), rå, vass, rak, kylig, kantig, hård, mjuk, varm, stadig, sträv, öppen – utan en tanke på den konkreta betydelsen av orden.

Ljudmålande ord:
rajtantajtan
halabalo
tufsenufsing
pillesnopp
rajraj
kuttrasju
kussimurra
konkarongen
momangen
pilliknarkare
faderullan
kackalorum

Det finns också oräkneliga fraser och uttryckssätt som bygger på en ursprunglig liknelse som man knappast tänker på idag: över huvud taget, sticka under stol med något, låtsas som det regnar, komma upp sig i smöret, röd tråd, rättesnöre, kalldusch, ha is i magen, sexträsk, osv. Något slags metaforiskt tänkande ligger också bakom uttryck som munhuggas, sjusnåret, plastsyskon, hårdkokt, bättringsvägen, högervriden, gastkramad och groggvirke (som man "bygger" en grogg av).

Nyord 1970-tal:
flygkapning
pappaledig
genteknik
tågluffa
basplagg
mansgris
polisvåld
barnkultur
prylraseri
samåka
flummig

Vissa har en tendens att alltid hålla sin konkreta betydelse mer synlig, ofta då för att den är drastisk: få tummen ur arslet, bli tagen med byxorna nere, bli tagen på sängen, fastna med skägget i brevlådan.

Metaforen är tidlös i språket. Många är gamla: bergets fot, slida (till kniven), nålsöga, stolsben, för att bara ta några exempel. Andra är nyare: flaskhals, bollplank, fallskärm, utgiftskostym. Dess ständiga användning visar att språket – och intellektet – har en fin känsla för symboler. Metaforen hjälper oss att fylla de tomrum som uppstår, när det befintliga språket inte räcker till för det vi vill säga. Om man konfronteras med en tanke eller föremål som man inte vet vad det är eller heter, så liknar man det vid något som det påminner om.

En mäklare förklarade en gång för mig att det tyvärr inte var några "sexiga gårdar" som omgav det hus där en lägenhet var till salu. Det var ett enkelt och kortfattat sätt för honom att förklara att gården endast bestod av asfalt och cykelställ, ingen lummig grönska med syrenbersåer och hemtrevnad – och jag förstod givetvis vad han menade. Att använda ordet ”sexig” om innergårdar är exempel på en sinnesanalogi. Vi överför dimensionen ”sexighet” till något som inte alls har med sex att göra. Precis samma mekanism ligger bakom när man pratar om en ”sur människa” eller i musikvärlden till exempel om ett ”tillbakalutat” eller ”fett sound” (”om det här soundet var en maträtt, skulle den vara fet och mäktig”), eller när man omvänt lånar från musikvärlden och pratar ”emotionell tondövhet” eller att ett tv-program inte ”svänger”.

Nyord 1980-tal:
sommarland
skogsdöd
velourpappa
köttberg
bubbelpool
sjukfuskare
finansvalp
datavirus
gymping
skinnskalle
topless

Vi har en hög kapacitet att förstå metaforer; vi greppar dem även om de är nya för oss. På så vis får uttryck som ”höja och sänka ribban”, ”landa ett avtal” eller ”måla in sig i ett hörn” snabbt spridning. Vi kan också snabbt räkna ut vad det innebär att ha flyt, vara målkåt, släpa någon i smutsen, gå vilse i stereodjungeln – eller förstå ungefär vad någon menar när han kallar Café Opera för ett "rödvinsdagis", även om vi aldrig hört uttrycken tidigare. Ja, vi kan, utan att vara politiskt insatta, i stort skönja vad Stig Malm menar när han säger att "arbetarrörelsen går med arslet före in i framtiden".

Nyord 1990-tal:

klona

dokusåpa

hemsida

minimjölk

glastak

mörkertal

sexmissbrukare

medlevare

bikinilinje

genmanipulerad

nätporr

Uttrycken är genomskinliga, eftersom det mänskliga tänkandet lätt kan förflytta sig mellan konkreta och abstrakta sammanhang. Utan den talangen hade språkens utveckling gått ofantligt mycket trögare.

Språket och tanken

Språken och den mänskliga tanken hänger så intimt ihop att man aldrig egentligen kan skilja dem åt. Det är förstås rätt givet; de har vuxit fram tillsammans, med hjälp av varandra.

Varje tillstånd i människans utveckling hänger också ihop med ett ordförråd, som avspeglar hennes behov och intressen. Det är ingen tillfällighet att Svenska Akademiens ordlista upptar 51 (!) sammansättningar på ordet kaffe- (kaffetår, kaffepaus ...) eller att orden ”vemod”, ”varsågod” och ”lagom” anses specifikt svenska och svåröversättliga (vittnar om tungsinne, konfliktundvikande och måttfullhet, månne?).

Så länge folk bodde på landsbygden och pysslade med jordbruk så hade man många ord för redskap, djur och markbeskaffenhet som vi sällan får användning för idag. Vi har istället skaffat nya ord som skulle varit värdelösa för dem: snabbmat, kändistät, veckopendla, zappa.

Ur ordens tillkomst kan vi hämta kunskap om människans utveckling på jorden; de avspeglar alltid kulturen de skapas i. Och de ord vi har avgör hur vi upplever omvärlden. För många kommer nog det här som något av en överraskning. Nog känner man igen färgen grön även om det inte finns något namn på den? Erfarenheten tyder dock inte på det. Det finns nämligen, som vi ska se här, språk som saknar ord för grönt, liksom för en massa andra färger.

Modern mentalitet:
livsstil
utbränd
beslutsångest
softa
självförverkligande
zappa
glassig
kroppsfixerad
krisa
deppvecka
personkemi
ätstörningar
extremkrångla
glidarjobb

Om ett språk saknar ord för någonting, färgen grön exempelvis, kan vi tala om en *språklig lucka* (eller semantisk lucka, för den som så vill). Det är som ett hål i språket – det finns en betydelse men inget ord som täcker den. Orden skapas för att fylla sådana hål. Men för att man över huvud taget ska se hålet så krävs det att man uppehåller sig i närheten av det, i det här fallet håller på mycket med föremål som har olika färger. Det gör vi i vår kultur, men så är det inte överallt.

Ta en vanlig svensk; hur många färger behärskar hon eller han? Utan tvekan svart, vitt, rött, grönt, blått, gult, skärt, brunt, brandgult, beigt, vinrött och lila. Alla kan också utan problem skilja på ljusa och mörka varianter av de här färgerna (ljusgult, mörkbrunt osv.). En hel del av oss kan även vid inspirerade tillfällen till och med ge sig på att definiera krämgult, turkos och laxrosa.

Ofta visar det sig att folk inte menar riktigt samma sak med en färg. Var gränsen går mellan rött och brandgult? Vad menar man egentligen med beige? Självklart varierar kunskapen med intresset. Jobbar man i modebranschen kan man slänga sig med oxblod, salt och peppar, mullvad, potatis, petrol, men exakta definitioner är lika otänkbara som att någon skulle ha fullständig klarhet över benvitt, gräddvitt, krämvitt, vintervitt, offwhite och naturvitt. Ofta kan samma färg medvetet kallas för olika saker, kanske av rent variationsbehov.

Nåväl, vi tycker att orange, beige och vinrött ingår i baskunskaperna, men historiskt sett har de nyss varit överkurs. Dina förfäder på 1800-talet hade dem troligen inte i sitt ordförråd. Före 1700-talet skiljer man inte ens på brunt och lila i svenskan (såväl lila, violett och gredelin är lånord från franskan, en kultursfär som odlat den färgnyansen). Det är därför en lila blomma kan bära ett namn som brunkulla. Går vi ännu längre tillbaka, till medeltiden, finns inte heller distinktionen mellan svart och mörkblått – färgade kallades för blåmän och en riddare som hade en morier (afrikan) på sin vapensköld fick tillnamnet Blåpanna.

Det är inte ens självklart att man i en kultur har namn på de mest elementära grundfärgerna. Det finns språk som bara har två färgord: svart och vitt! Om de sedan har namn på en tredje färg är det alltid röd. Det finns faktiskt ett system för i vilken ordning man skiljer färgerna. Har man ord för gult i ett språk, betyder det att det också finns exempelvis rött, därför att röd kommer före gul i den här hierarkin.

Men, hur är det nu: ser en person som bara har svart och vitt i sitt språk inte de andra färgerna? Herregud, tycker vi, vem som helst måste väl se att rött är en helt annan färg än blått eller gult? Ja, säkert, ungefär som vi kan lära oss att skilja på en mängd beigebruna nyanser om vi är motiverade.

I botten finns givetvis behov. I vissa kulturer är färger bara kuriosa. Nyanser som lavendel och oxblod är inte särskilt intressanta i en samlarkultur, för man har andra saker att tänka på. På sätt och vis är färgen en abstraktion som vi renodlar från något konkret, och det blir förstås intressant först när man har olika föremål som *kan ha olika färger*. Vi, i vår kultur, har tyger och möbler och diverse artiklar som kan ha färgen lavendel. Vi frigör därför själva namnet från den ursprungliga växten och gör den till ett begrepp (notera att i princip alla färger bortom grundfärgerna och några till har sitt namn från konkreta saker: orange (apelsin), turkos (en sten), rosa (ros)). Så länge man inte kommer i kontakt med sådana tyger är färg och växt samma sak, vilket ju egentligen är helt riktigt. En människa med ett primitivt (d v s ursprungligt) språk kan se att oxblod och rödvin liknar varandra, men det intressanta för honom är *skillnaden*. Det ena är gott att dricka, men berusande; det andra kommer ur ett kraftfullt djur, är näringsrikt m m. Att gå på den abstrakta likheten och inte på nyttoaspekten är en lyx som följer med vår välbeställda kultur.

Vår förmåga att se färger är alltså delvis beroende av språket. På samma sätt präglar det oss i en mängd andra avseenden, ofta utan att vi har en aning om det. Orden och den betydelse vi ger dem avspeglar hela tiden förändringarna i vårt psyke och vår världsbild. Också luckorna i språket skvallrar om vår mentalitet, vad som intresserar och hur vi uppfattar oss själva. Vi kommer längre fram i boken att återvända till förhållandet mellan ord och tanke, och vår benägenhet eller obenägenhet att fylla de språkliga luckorna.

Omodern människosyn:
familjeflicka
frisksportare
homofil
tattare
hedersknyffel
bastard
lantlolla
matmamma
slashas
påläggskalv

Innan vi nu börjar diskutera frågorna om svenska språket idag, så måste vi lära oss att det inte är fråga om *ett* språk, utan *två helt olika*: det talade och det skrivna.

3

sjampanj och pittsa

talet och skriften

– två helt olika språk

Om man frågar folk vilket som är äldst, talet eller skriften så händer det att en och annan tvekar. Det finns till och med enstaka som svarar skriften, även om det förstås är ogenomtänkt. Men det blir en smula skrattretande, ungefär som om man skulle påstå att Columbus kom före indianerna till Nordamerika. De mänskliga talspråken hade nämligen funnits i åtminstone tiotusentals år innan någon kom på idén med skriftspråket. Och som företeelse är den rätt exklusiv – av jordens 3000 språk är det bara ett hundratal som förekommer (eller förekommit) i skriven form.

Tal och skrift är två helt olika språk. De har egentligen mycket mindre med varandra att göra än många tror. Om man vill spetsa till det hela kan man gott säga att talspråket är det riktiga språket, och skriftspråket bara en avläggare eller en blek kopia. Talet klarar sig nämligen utmärkt utan skriften, skriften däremot skulle aldrig ens kunna existera om det inte fanns ett talspråk. Men i vår kultur, med dess förkärlek för normer och förenklingar, så har skriftspråket fått en mycket högre status – och det är ett av mina huvudsyften med den här boken; att försöka förklara varför vi med vår mentalitet så lätt ser ner på talspråket.

Om man skriver ner talat språk så uppfattar människor alltid det som mycket slarvigare och mer ovårdat än om de bara hörde det:

nej ... ja ... eh uj ... kan eh ... ännu roliare ... därför att vi ... vi hadde ju allri hålli på mä ... mä så ... visste junte va ... vem som gjorde vagnar elle nånting ... så dä (harkling) ... *vi telegrafera till hållstajnsån ... gå ner å skrapa bott ... se om du kan hitta namne på dom gamla ... å dä ... å då åkte han ut till dä här sockerplantasche ... å skrapade av rosten på navkapslana ...*

Det finns massor av saker man kan reagera på här. Meningar lämnas oavslutade, ord uttalas annorlunda än de stavas, grammatiska konstruktioner som är helt främmande för skriftspråket förekommer, osv. En enkel slutsats skulle vara: ”Usch, va slarvigt, människor borde verkligen skärpa sig och sluta slarva!” Det är å andra sidan ungefär lika meningsfullt som att be någon som gjort illa sig att sluta ha ont.

För det är så här människor pratar. Exemplet ovan är inte ens hämtat från någon obildad kreti eller pleti, utan det är en utskrift från en TV-intervju med greve Carl Johan Bernadotte. Han är kungens farbror och tillhör den yppersta svenska aristokratin. Säkert vinnlägger han sig också om att tala ordentligt och korrekt eftersom det ska sändas i TV. Alla som såg programmet skulle rimligtvis också uppfatta honom som mycket bildad och hans språk som allt annat än ovårdat. Hade jag valt ett exempel med ett mer obildat talspråk hade ni tyckt att det var ännu mer iögonfallande.

Så här ser alltså talspråk ut, när vi skriver ner det. Vi avslutar inte meningar annat än om det verkligen är nödvändigt, och vi kan glatt inleda en mening och sedan mitt i den gå över till en helt annan. Skulle man börja avbryta sig och be om ursäkt – ”jag avslutade visst inte den förra meningen och det blev ingen fullständig sats” – skulle folk omedelbart förutsätta att man var rubbad.

Men varför tycker vi att det ser så slarvigt ut, om det är så här språket egentligen är? Anledningen till att vi reagerar är inte att talspråket är slarvigt; det bara verkar så när man är van vid skriftspråket, som är överdrivet korrekt och tydligt. Och det måste det vara. För de två språken har olika funktioner, och då har de också olika lagar.

Att skriftspråket sedan kan vara mästerligt inom sitt begränsade område är en annan sak. När man en gång, för några tusen år sedan, skapade den första skriften så var det med speciella syften. Skriften har en enorm fördel – den kan föra över meddelanden mellan människor utan att de behöver träffas, de kan kommunicera trots att de skiljs åt av rum eller tid.

Talspråkets begränsning är ju att människor måste ses (eller åtminstone använda telefon). Skriften medförde helt nya möjligheter: de som en gång levde kan berätta saker för de efterkommande, trots att de själva sedan länge är döda. Det var givetvis en revolutionerande uppfinning. Och är det fortfarande.

När det gäller att bevaras, flyttas och mångfaldigas så är skriften helt överlägsen. I övrigt har den inga som helst chanser att mäta sig med talets mångsidighet.

Det finns egentligen inga meningar i talspråket

Under det att vi talar med varandra är vi vana vid att hela tiden få bekräftelse av motparten (med ord, miner, blickar). På det sättet håller vi koll på att den andra förstår vad vi säger. Om vi inte får bekräftelse, så tar vi om eller försöker uttrycka oss på ett annat sätt. Det är därför människor känner sig stela och ofta tycker att det är obehagligt när de pratar med en telefonsvarare de första gångerna. Det är helt enkelt ovant att inte få någon reaktion eller återkoppling ("Lät det helt löjligt det där sista jag sa?" eller "Jag råkade säga vi 'härs' istället för vi 'hörs', och nu vet jag inte om hon tror att jag är konstig"). När man skriver vet man att man inte kommer att få någon direkt återkoppling; den kommer först långt senare (svar på brev, reaktioner från läsaren) och därför måste man vara mycket tydligare.

Vi kan säga att jämfört med talet är skriften handikappad. Den har precis samma värde, men på grund av dess begränsningar måste den behandlas annorlunda. Om man talar med en människa som hör bra kan man prata snabbt och sammandraget. Om däremot personen är nästan döv måste man artikulera oerhört noggrant och tydligt. Så är det med skriften; den är handikappad jämfört med talet eftersom den saknar alla dess direkta dimensioner och gensvar – och därför måste den vara övertydlig.

Av det skälet har man i utvecklandet av skriftspråket byggt upp en struktur, ett slags grov förenkling av hur talet fungerar, för att öka tydligheten: hela meningar, huvudsatser och bisatser. Bo Widerberg, som hade en makalös känsla för trovärdig dialog, lät inte skådespelarna använda bisatser, eftersom han menade att sådana inte existerade i naturligt talspråk.

I stora drag hade han rätt. I talspråket finns egentligen inte ”meningar” på det viset, de är mest en konstruktion för skriftspråket. I den grad de finns i talspråket kan de vara uppbyggda på väldigt skiftande sätt: En mening som ”Lutfisk är jag inte säker på att de vet om att jag äter nufortiden heller” är helt normal för talspråket (och begriplig, och därmed helt användbar). Men skriftspråket, med sina begränsningar, kan inte riktigt hantera den; den måste struktureras om, planeras – för att ”skapa” en ”mening” i mer konventionell betydelse av satsen.

Hela vår föreställning att språket består av meningar är egentligen ett resultat av att vi påverkats av skriften. Den består av hela meningar, men inte talspråket. I skriften har vi möjlighet att skapa och fullända meningar, eftersom vi kan planera, rätta och skriva om. Men följden blir att vi tycker talspråk verkar slarvigt. I själva verket är det så språket ser ut ”på riktigt”, skriften ger en grov förenkling. Meningar ska inte alls alltid avslutas när man pratar, gjorde man det skulle den man pratar med känna sig idiotförklarad – eller åtminstone ordentligt underskattad. Och det med all rätt. Sätter man upp skriftens regler för talspråket så blir det stelt, fjärmat, kontrollerat. De reglerna är utformade för skrivet språk, inte för människans eget talspråk.

Men det är inte bara återkopplingen man saknar i skriftspråket. När man pratar med en människa är det verbala språket bara en del av utbytet, man kommunicerar också väldigt mycket med gester, kroppsspråk, miner, betoningar, pauser, framhävanden av vissa ord, ibland t o m genom att inte säga någonting alls. Nästan ingenting av detta går att överföra till skriften – i slutändan blir det en handfull tecken, om än anspråksfulla. Punkt betyder längre paus, komma en lite kortare paus, utropstecken står för extra kraftig betoning. Och så vidare. Det är ändå blekt, trots en författares förmåga att ”skapa en röst” i texten. När vi talar kan vi i *ett enda ord* med vårt tonfall lägga in vädjan, glädje, ironi, ömhet, kylighet, förakt, beundran och längtan. Den möjligheten existerar inte när vi skriver.

Skriften präglar oss

Skriften är alltså ett system, utvecklat just för sin uppgift: att läsas och skrivas. Men när man väl tagit del av detta system kommer det för alltid att prägla ens uppfattning om språket. Man kan efter det aldrig bli kvitt tanken att orden är kombinationer av bokstäver. Försök tänka på ordet ”stol”, själva ordet, inte kombinationen av ljud eller bokstäver. Du kommer snart att upptäcka att det inte går, i någon mån känns det alltid som ett ”s” och ett ”t” och så vidare. När vi lärt oss läsa, identifierar vi orden med skriftbilden. Det är därför vi reagerar så kraftfullt när vi ser ett ord stavat på ett annorlunda sätt. Om man stavar ljudlagsenligt, exempelvis ”sjampanj” och ”pittsa”, så upplever människor det som helt andra ord än ”champagne” och ”pizza”, på samma sätt med namn som Allis och Jeorj. Vi är så påverkade av skriftbilden att vi aldrig kan frigöra oss från den.

Det är ungefär som att försöka tänka sig att inte kunna cykla. Hur man än försöker, så vet man hur man gör. Många typer av kunskap är av det slaget, när man väl har den så är man låst vid den, och man kan aldrig stå fri från den igen.

Så är det med skriftspråket. Små barn och analfabeter kan ha ett direkt förhållande till orden, uppleva dem som helheter på ett sätt som är omöjligt för den som tagit del av systemet med vokaler och konsonanter. Ord och sak är i princip oskiljaktiga. En ”häst” är verkligen en ”häst” för dem – för oss är ”häst” bara ett ord som betecknar ett visst djur. När vi tar ordet, analyserar det, styckar ned det i sina minsta beståndsdelar får vi ett annat förhållande till det. Det är ungefär som om vi plockar sönder en leksak: vi behärskar den då och vet hur den fungerar, vi bestämmer och kan göra vad vi vill med delarna, men den har mist sitt egna liv, sin magi, sin värdighet eller vad vi nu vill kalla det. Och vi kan inte få tillbaka den relation vi hade till den innan vi ”avslöjade” den.

Om tecknad och otecknad film

Eftersom vi alla vuxit upp i den kulturella föreställningen att skriftspråket nog ändå är det riktiga språket, är det inte lätt att köpa ett sånt här resonemang med en gång och vips byta perspektiv. Jag tänkte därför använda en annan liknelse, för att göra min tankegång måhända tydligare.

Låt oss prata om tecknad film en stund. Förhållandet mellan den tecknade filmen och verkligheten påminner nämligen mycket om det mellan skriften och talet. Och strunta nu i vilken kvalitet man tycker tecknad film står för, för det här är ingen jämförelse mellan konstarter. Det intressanta är att den tecknade filmen innebär ett slags förenklad avbildning av världen, precis som skriften är en förenklad kopia av talet. Låt oss titta på hur de förhåller sig till sin förebild.

När skriften ”avbildar” talet gör den det med olika begränsningar. Man måste förenkla; det går aldrig att vara så mångsidig och spontan som talspråket. På samma sätt tvingas den tecknade filmen förenkla; det skulle aldrig gå att avbilda världen exakt och därför sänker man ribban från början. Människor, hus och andra ting tecknas inte realistiskt utan på ett förenklat sätt. Man kan inte återge exakt hur en häst springer, men man tar sin utgångspunkt i det och har i detalj studerat hur den rör sig innan man tecknar ner den och börjar animera.

På samma sätt som den tecknade filmen skapar skriftspråket sina ramar och håller sig sedan innanför dem. Här uppstår också vissa tydliga fördelar. Inom det avgränsade systemet kan man slipa på de olika möjligheterna, skapa nya sorters meningar som talet inte känner till, odla genrer och litterära stilar.

Så är det även i den tecknade världen, där får hästen ett eget liv, den kan göra saker som den aldrig skulle kunna göra i verkligheten – flyga i luften, klättra upp i träd när den blir rädd, bli överkörd och platt som en pannkaka för att sedan resa sig upp oskadd sekunden därpå.

På det viset kan den tecknade filmen överträffa verkligheten och man skulle, om man inte visste annat, kunna säga att den är ”bättre”, därför att där kan hästar klättra i träd och flyga i luften och det kan de inte i verkligheten. Men den jämförelsen håller förstås inte, eftersom den tecknade filmen är tvådimensionell och underlägsen verkligheten på alla andra plan. På samma sätt kan skriften verka mycket bättre talet på ett ytligt plan, med sin struktur, överblickbarhet och tydlighet. Men den faller platt vid alla djupare jämförelser.

Att jag gör en parallell med tecknad film är ingen tillfällighet. Bland nutida barn kan man ibland höra termen "otecknat" om vanlig film med skådespelare, som exempelvis *Emil i Lönneberga*. Möjligen är det så att man ser så pass mycket tecknad film att man uppfattar den som det normala och behöver ett uttryck för det som avviker – det "otecknade". Det här är väldigt typiskt för människans sätt att tänka – hon tar sin utgångspunkt där hon är, dit hennes egen erfarenhet sträcker sig. För oss vuxna blir det komiskt, det är ungefär lika logiskt som att beskriva en människa som en robot, fast levande.

Om man utgår från tecknad film så är förvisso all annan film otecknad – felet ligger i utgångspunkten, man ska inte utgå från tecknad film, som ju bara är en förenklad kopia av verkligheten. Precis lika insnärjda är vi i vår syn på språket, liksom barnet uppfattar annan film som "otecknad" uppfattar vi talspråket som "oskrivet" – för vi tar vår utgångspunkt på helt fel ställe, och tror att det är skriftspråket som är det riktiga.

Det finns många förklaringar till varför vi börjat

tänka så. Vi har redan tagit olika exempel på varför skriften måste vara planerad och begränsad. Den styrs av regler och kan rättas och finslipas efter dessa, medan talet är och förblir direkt och spontant, utan alla såna reservationer. Allt detta gör att skriften *verkar* riktigare. Men om vi på djupet accepterar ett sådant synsätt är det ungefär lika vettigt som om barnet bestämde sig för att världen egentligen är tecknad, och alla figurer och föremål i den yttre världen bara är försök att efterlikna tingen såsom de egentligen ser ut, i den riktiga, tecknade världen.

Skriftspråket ger och tar

Det finns många exempel på hur vi i vårt tidevarv fått konstiga perspektiv på saker och ting. Titta bara på berättandet. Allt mänskligt berättande är från början givetvis muntligt. Vartefter människor lärt sig skriva har berättelser också skrivits ner och så småningom har det växt fram speciella yrken som författare och journalister, som ägnar sig åt att producera alltmer litteratur, reportage och journalistik. När vi sedan utforskar främmande kulturer, där analfabeter fortfarande ägnar sig åt det urgamla mänskliga berättandet, så kallas det för *muntlig litteratur.*

Det är precis som med den ”otecknade” filmen.

All litteratur är från början muntlig; det är bara vi som på senare århundraden ägnat oss att skriva den. Men vi kan inte frigöra oss från det som vi tycker är det normala, nämligen att litteratur ska vara skriven. Att beskriva det genuina, mänskliga berättandet som muntlig litteratur är ungefär som att beskriva en häst som "en bil utan hjul".

Nutidsmänniskan bär ofta på sådana perspektiv. Hon har sin utgångspunkt i sin egen tid, sina egna uppfinningar och skapelser. Och hon strävar hela tiden efter att förbättra och utveckla världen på det rent tekniska planet, och ju mer hon lyckas med det, desto lägre skattar hon sina egna rent mänskliga egenskaper.

Se på synen på analfabeter. Begreppet används ofta med tydligt nedsättande ton, som om det inte handlade om en skillnad i kulturell kompetens utan ett slags mental efterblivenhet. Låt mig då bara påminna om att människan i sig själv är analfabet och har varit det under hela sin historia, med undantag för några av de senare århundradena. Vi uppfattar analfabetism som ett handikapp, eftersom vi har en stor skriftspråklig kultur som man då inte kan få inträde till. Men det är ur vårt perspektiv. I själva verket är det inte alls lika självklart vem som är handikappad.

Analfabeter besitter andra kunskaper än vi; sådana

som vi gjort oss av med i och med att vi lärde oss läsa och skriva. Det kan komma som en nyhet för många i dagsläget. Vi uppfattar i regel ny kunskap som något man lägger till den tidigare, man plussar helt enkelt på och summan blir bara större och större ju mer man lär sig. Men i själva verket är många sorters kunskap så beskaffad, att när du lär dig den så tar den annan kunskap av dig i utbyte – och den kan du aldrig få tillbaka.

Så går det till när man lär sig läsa och skriva. Vi lär oss nytt, men mister annat. Jag ska ta upp några exempel:

För det första försämras vår detaljerade hörsel när vi börjar skolan. Hos förstaklassare kan man ofta hitta felstavningar som ”duv” (du), ”kfäll” (kväll) och ”daks” (dags). Såna skrivningar vittnar om att barn har ett mycket välutvecklat finfonetiskt öra; de hör till exempel det lilla labiala efterslaget (början till ett ”v”-ljud) som vi åstadkommer när vi säger ”du”, ”nu”. Men den som lärt sig skriva, och stava ”n-u” har betydligt svårare att höra samma sak, eftersom hon eller han redan har sin uppfattning klar: det finns inget ”v” där (även om den egentliga sanningen är att det finns åtminstone ett halvt ”v” där). Likaså tror de flesta svenskar att de säger ”kväll”, med ”v”-ljud, men i själva verket säger vi snarare just ”kfäll”, eftersom det är i princip omöjligt att prestera ett rent

”v”-ljud efter ett ”k”. Om man verkligen försökte skulle det låta som man snarare sa ”keväll” eller något liknande (rent tekniskt handlar det om att den tonande labiodentalen ”v” övergår till tonlös (f) på grund av att ljudet innan (k) är tonlöst). Barnens skrivningar vittnar om deras sinne för finare ljudanalys, en kunskap som de sedan byter bort mot annat som är mer användbart i vårt samhälle.

För det andra så försämras kapaciteten för utantillärande dramatiskt när människor lär sig läsa och skriva. Enkelt uttryckt kan man säga att man inte behöver komma ihåg saker, eftersom man kan skriva upp dem istället. Människans egentliga möjlighet att lära sig saker utantill är hisnande, och det finns många exempel på den genom historien. De stora grekiska verken *Iliaden* och *Odysséen*, bägge långa som tegelstensromaner, berättades och fördes vidare muntligt i många generationer innan de blev nedskrivna. Landskapslagarna i Sverige existerade bara i muntlig form, innan de blev böcker på 1200- och 1300-talet. Den som fick förtroendet att bli lagman lärde sig lagen utantill, och drog den sedan på tinget en gång varje år (vilket borde ha tagit sina modiga timmar).

Många av Shakespeares pjäser kunde ha gått förlorade för eftervärlden. När han dog visade det sig att endast få manuskript fanns bevarade. Man försökte då skriva ner dem efter diktamen från olika skådespelare som varit med och spelat. Ofta kunde de hela dramerna utantill, inklusive varenda rollfigur, trots att det ibland var åratal sedan de sist spelade dem.

Det finns kulturer på jorden där det muntliga berättandet ännu lever i sina mer ursprungliga former, och undersökningar visar att dessa skalder bevisligen blir sämre på att memorera och återberätta långa dikter om de lär sig läsa och skriva. Men inte nog med att skriftspråket påverkar vårt utantillärande – det förändrar också vårt sätt att tänka.

Skriftspråklig mentalitet

Om du visar geometriska figurer för en analfabet ser han/hon alltid något konkret; en cirkel blir en tallrik, en sol, eller dylikt. En läskunnig människa blir istället gärna abstrakt, hon ser den runda formen, cirkeln, osv. Och att kunna abstrahera är utan tvekan en fördel för oss men sällan i äldre kulturer.

När man undersökt mentaliteten i skriftspråkliga och ickeskriftspråkliga kulturer, så har man börjat förstå att en del egenskaper, som vi tidigare trott var medfödda hos människan, i själva verket kommit till genom ”de resurser som skrivandets teknologi ställer till det mänskliga medvetandet”, som talspråksforskaren Walter Ong uttrycker det. Det som vi idag konventionellt definierar som ”intelligens” har egentligen i stor utsträckning med skriftspråket att göra. Därmed skulle vi äga ett argument för skriftspråkets överlägsenhet, tycker kanske en del, men vi ska nog studera hur den intelligensen ser ut först innan vi kan dra några slutsatser.

När man i Ryssland på 1930-talet gjorde de första pionjärundersökningarna på mentalitet hos analfabeter, byggde testen på samma princip som Brasses lattjolajban-låda i barnprogrammet *Fem myror är fler än fyra elefanter*. Ett typiskt test kunde se ut så här: Du har fyra föremål: en slägga, en stock, en yxa och en såg. Ett av dem ska bort – vilket? Vi skulle välja bort stocken, för den är inget verktyg. Det är ett logiskt tänkande, som egentligen inte har någon praktisk utgångspunkt. Försökspersonerna hade ett helt annat sätt att se det: Släggan ska bort, de andra tre hör ihop. Man utgår ifrån det praktiska och tar ingen hänsyn till att tre av dem är ”verktyg”, inte ens om det påpekas för dem. En typisk invändning är då: ”Ja, men även om vi har verktyg så behöver vi trä, annars kan vi inte bygga något.”

Det här handlar inte så mycket om att man inte *kan* tänka logiskt, utan mera om att man inte är intresserad av det. Innan man, genom skriften, får tillgång till ett mer avancerat *abstrakt tänkande* så står man med bägge fötterna i den handfasta tillvaron. En person i testet blev ombedd att beskriva ett träd. Han blev avogt inställd och började istället ställa motfrågor: ”Varför skulle jag göra det, alla människor vet väl vad ett träd är, gå ut själv och titta på ett om du är osäker?”

För oss är det ett bra test på abstrakt tänkande: att beskriva ett träd för någon som fiktivt aldrig sett ett; att helt frigöra sig från sin känslomässiga upplevelse av trädet och bara tala om dess egenskaper. Men mannen reagerade negativt och blev nästan arg över själva frågan; för honom blev den abstrakta vinkeln obehaglig.

Detta exempel kan vara svårt att leva sig in i, men föreställ dig själv att någon frågade dig: Är det oartigt att mörda någon? Hur skulle du svara på den frågan? Du skulle snarare svara ja än nej – det är åtminstone inte artigt – men framför allt skulle du reagera på själva frågan. Den här människan har ju missuppfattat någonting i grunden; hela infallsvinkeln är galen. På samma sätt uppfattar analfabeten frågan om trädet provocerande idiotisk: den här människan har valt helt fel väg för att få reda på hur ett träd ser ut, det är mycket enklare och bättre att gå ut och titta på ett.

Den logiska intelligensen, som egentligen har mycket att göra med att frigöra sig från allt praktiskt tänkande, har länge varit högt skattad i vår kultur. Men samtidigt har den en tradition som i längden visar sig ohållbar: att tänka logiskt är ofta att bortse från det känslomässiga och praktiska. Idag talar man alltmer om emotionell intelligens och EQ. Och säga vad man vill om de traditionella intelligenstesten, där man exempelvis kan förväntas särskilja vilka ord som har possessiva pronomen inskrivna i sig eller hur olika figurer förhåller sig till varann (om A förhåller sig till C som F till H ...) – det visar knappast på den typ av färdigheter som leder till att folk vare sig överlever i vildmarken eller löser cancerns gåta.

Exemplen visar att skriftspråken inte bara ger, utan också tar något tillbaka. Jag är givetvis inte av den uppfattningen att jag tycker att det är dumt att människor lär sig läsa och skriva, men jag tror att det skulle vara bättre om det skedde utan att man uppfattade skriften som ett bättre och riktigare språk och istället såg den som vad den är: ett annorlunda språk, med andra syften.

Dessutom faller det utanför den här bokens ramar att djupare diskutera människans livssituation, och de fördelar respektive nackdelar som de olika kulturerna för med sig. Vad jag vill väcka är medvetande; att vi ska kunna se objektivt på vår situation. Låt oss här bara konstatera: Vi är överlägsna analfabeten på vissa sätt, han är överlägsen oss på andra. I vår kultur är det ett handikapp att inte kunna läsa och skriva, i hans kultur är det *kanske* ett handikapp att kunna det.

4

ja ba och fethaja

svenskan –
ett av världens
dåligaste språk?

Som vi redan tidigare konstaterat så finns det massor av myter och uppfattningar kring det svenska språket. Det är ”dåligt”, fattigt på ord och uttryck och vi slarvar med det. Och det finns inga som är så urusla som ungdomar. De har en fullständigt hopplös vokabulär, som i princip bara består av ”ja ba”, ”shit”, ”fethaja” och några uttryck till. Om det fortsätter såhär kommer samhället förmodligen att gå under.

Mycket av det här är vanföreställningar, och jag ska i det här kapitlet visa mängder av exempel för att slå hål på de här uppfattningarna.

Men först och främst kan man fråga sig var alla sådana idéer kommer ifrån. Föreställningen om att allt bara blir sämre och att det går utför med ungdomen verkar nästan vara medfödd i människan, eftersom den har härskat i alla tider. Det här är inte ett 1900-talsfenomen enkom, utan går mycket djupare i vår historia. Klagomål om att det var på väg utför med det svenska språket finns för övrigt omtalade redan på medeltiden.

Tanken på att vi lever i ett tilltagande förfall där

moral och seder håller på att upplösas finns i alla möjliga urgamla, mänskliga föreställningar. Alltsammans tycks vara varianter på det förlorade paradiset. Vi kommer från guldåldern, det sjunkna Atlantis och är på väg mot dekadens, samhällets och familjens upplösning, ett allmänt Sodom och Gomorra, där människor bara kommer att gå omkring och dra, förneka all form av moral och etik, knulla i buskarna och glatt slarva med språket utan att skämmas för det.

Ord med stort användningsområde:

pryl
grej
greja
jox
grunka
don
dona
moj
pyssla
makapär

Det är helt enkelt ett uttryck för "det var bättre förr"-mentaliteten hos människan. Den i sin tur bygger på det naturliga i att vara skeptisk till allting som är nytt och ovant. För oss blir det närmast komiskt att man för femtio år sedan ansåg jazzen farlig. När dansen Lambeth walk lanserades i Sverige 1938 blev det ramaskri på många håll och det pratades om förbud. Idag tillhör samma dans den gamla goda tiden, då det var lite stil på ungdomarna och de var hela och rena och hade bättre saker för sig än att supa och knarka. Pippi Långstrump dömdes ut som anarkist och direkt olämplig för femtio år sedan av inflytelserika potentater, idag anses böckerna vara den yppersta barnlitteratur. I min barndom var det många vuxna och äldre som var direkt rädda för unga män med långt hår, idag finns säkert ett antal mammor till skinnskallar som inte önskar något hellre än att deras söner skulle ha längre hår.

Vi har ett slags grundmentalitet som gör att vi i första hand ser de förändringar som gör oss osäkra. Och det som gör oss osäkra är skrämmande, och ger i sin tur alltid upphov till myter och vanföreställningar. Titta på alla ”råttan i pizzan”-historier som människor trott på och spritt på fullaste allvar till varandra. De flesta är uppbyggda kring nya och till en början ovana fenomen som pizzerior, kinarestauranger, charterresor, AIDS, osv. När Bengt af Klintberg i sina böcker redogjorde för den obefintliga sanningen bakom myterna så tittade alla människor generat upp och försökte låtsas att man egentligen aldrig hade trott på sådana rövarhistorier. Men sanningen var ju den att nästan alla hjälpt till att sprida skrönorna utan att på något sätt ifrågasätta sakligheten i dem.

Övertygande annonsord:

byxmode
lillsemester
pälsbuss
prischock
räkfrossa
mellanmålsromantik
skaldjursfestival
snyggbyxa
dansweekend
soldyrkare

Så fungerar vi, därför att det lagom kusliga engagerar och roar oss. Överallt grasserar myter och rykten: Åker man tunnelbana i Stockholm kan man få en spruta i låret för någon vill att man ska bli knarkare. Om man blir anfallen av en grävling så biter den tills det knakar (därför ska man bryta en gren eller ha äggskal i stövlarna). Ofta är det sakligt rent nonsens. På samma sätt är det med språket. Många av de myter och påståenden som cirkulerar omkring är i själva verket rena påhitt – de bygger snarare på gissningar än verklig kunskap. Låt oss därför gå till botten och ta reda på sanningen. Jag tänkte försöka bemöta följande omdömen:

- Det slarvas mer och mer med språket, framför allt av ungdomen.
- Folk talar sämre idag, förr talade man mer korrekt och var noggrannare med uttalet.
- Svenska språket är outvecklat och fattigt på ord och uttryck.

Det slarvas mer och mer

Att över huvud taget prata om slarv när det gäller språkets utveckling är vanskligt, för vad menar man egentligen? I regel brukar man syfta på reducerade uttal ("ba" för 'bara') och grammatiska inkonsekvenser ("att säga 'jag såg han' är typiskt exempel på slarv, det heter ju 'jag såg honom' "). Om man kallar det här för slarv får man omedelbart ett stort problem: hela språkets historia bygger på *slarv*! Det svenska språk som vi har idag, och som många vill värna om, är helt och hållet uppbyggt av århundraden av denna typ av *slarv*. Nästan varje ordform i språket är resultat av detta; "Sverige" är en slarvig form av 'Svea rike', "gå" är en slarvig form av det äldre 'ganga', "stå" av 'standa', "bror" av 'broder', "moster" är rent slarv för 'modersyster' (eller ännu hellre 'modhirsystir'), "bastu" av 'badstuga', "lördag" av 'lögaredag', "Lars" av 'Laurentius', "Karin" av 'Katarina', osv. Så kan vi hålla på i all oändlighet och därmed tröska oss igenom halva Sveriges språkhistoria.

Resonemanget om slarv är alltså helt ohållbart. Det är hela språkets grundväsen att reducera och förenkla, så har språken utvecklats i alla tider. Människan är ekonomisk, och ger inte ut mer än vad som behövs för att kommunikationen ska fungera. Är en stavelse överflödig, d v s man blir förstådd utan den, kommer den obönhörligen att försvinna. Det är det som gör att språken hela tiden utvecklas åt olika håll. För tusen år sedan talade svenskar och engelsmän med varandra och förstod varandras språk, sedan dess har det "slarvats" en hel del, vilket har utvecklat de besläktade språken bort från varandra.

Ett slarv som många säkert skulle lyfta fram ur dagens ungdomsspråk är när man använder ”bara” som anföringsmarkör, i regel uttalat ”ba”. Man har sällan hört så mycket klagomål på ett ord eller uttryck, få intresserar sig för vad det fyller för funktion i språket. När det gäller själva uttalet är det en naturlig reducering, precis som det sedan århundraden etablerade uttalet ”va” för ”vara”. Här faller ”r” gärna bort, eftersom ljudet ofta är mycket svagt uttalat, särskilt i östra Mellansverige. (Prova gärna för dig själv att uttala ett ord som ”p*r*ecis” eller en fras som ”ta kläde*r* på dig” och lyssna på dig själv hur mycket ”r”-ljud du verkligen uttalar – i västra och södra Sverige är det annorlunda, där uttalas r-ljudet kraftfullt, om än på olika sätt.)

Nå, varför använder ungdomar anföringsmarkören så mycket, och särskilt tjejer? Finessen tycks vara att den fungerar som ett slags ersättning till ett anföringsverb, i en fras som ”ja ba” kan det ersätta allehanda verb som sade, skrek, stönade, reagerade, vrålade, suckade, markerade, stånkade, protesterade, osv. Ofta används det för att anföra så pass ljudmålande och lite oklara ord att det nog skulle vara svårt att välja verb: ”ja ba ... uöhh, han ba ... sss.” Förutom att det fungerar som anföringsverb så lägger det en betydelse av drastiskhet till alltsammans: ’bara sådär, helt utan vidare, rakt upp och ner.’ Att tjejer använder det extra mycket är väl i så fall för att de är särskilt intresserade av att återberätta den här typen av händelseförlopp i de mänskliga relationernas värld.

”Jo, jo, det är nog möjligt”, säger vän av ordning inom språket, ”men, Fredrik, du kan väl inte förneka att människor ofta inte kan svenska, att de gör ständiga fel av olika slag och att de tillåter former och uttryck som egentligen är felaktiga att breda ut sig?”

Nej, visst är det så i viss mån. Men med risk för att reta gallfeber på en och annan så måste vi först diskutera vad vi menar med *fel*. Antingen kan vi gå på vad som är *egentligen* riktigt, rent historiskt. Men då har vi också mängder av saker som är fel, trots att vi tror att de är rätt. Här är ett litet axplock:

- Formerna ”ni” och ”på” är felaktiga, det ska egentligen heta ”i” och ”å” (de är felaktigt utlösta ur former som ”upp å slottet” och ”veten i”). Liknande är det med ”ropa”, som egentligen heter ”opa” men som fått en extra bokstav ur konstruktioner som ”Jerker opar” (i fornsvenskan slutade alla pojknamn på ”r” i grundformen).
- ”Skriva, skrev, skrivit” är felaktigt, likaså ”duga, dög, dugit”. Det är egentligen svaga verb som ska böjas ”skriva, skrivde, skrivt” respektive ”duga,

dugde, dugt". Enligt samma princip "felböjs" idag t.ex. "tiga", "knyta", "snyta", "hinna", "strida", "skryta", "dyka", alla ursprungligen svaga. Likaså är den svaga böjningen av "stjälpa", "svälla", "gälla", "bärga", "svälja", "tvinga" och "värpa" oriktig; det är egentligen starka verb och ska böjas "stalp, stulpit", osv.

- Orden "tjusa, förtjust" är felstavade, kommer av fornnordiska "kjusa" och betyder egentligen 'välja ut' (samma som engelskans "choose"). Omvänt är det med "kärv", som egentligen borde stavas "tjärv".
- Formen "rosor" är helt galen, historiskt riktigt är "roser" och inget annat. (Det är bara tvåstaviga ord på "-a", typ "tunna" och "flicka", som kan ha flertal på "-or" i svenskan.) En form som "rosor" är alltså lika korrekt som att böja "en dam – flera damor", "en sak – flera sakor".
- En vanlig svensk mening som "jag går och handlar" är egentligen helt galen grammatiskt sett. Historiskt heter det "jag går att handla", men eftersom orden "att" och "och" kommit att uttalas lika ("å"), har en talspråklig mening som "ja går å handla" omtolkats och man har stoppat in ett "och" av ren osäkerhet.
- Om vi ser på betydelser kan vi konstatera att "arg" egentligen betyder 'fjollig, homosexuell', "rolig"

egentligen 'lugn', "dum" betyder 'döv', "sakna" 'skada sig', "hemsk" 'hemkär', "smörgås" 'klick smör' ... Men vad kan vi göra åt det idag?

Listan kan bli oändligt mycket längre, men det är knappast meningsfullt. Dessutom är ju hela vårt grammatiska system felaktigt mot en historisk bakgrund, eftersom vi struntar i en massa böjningar (pluralböjningen: "vi voro", "de komma", skillnaden mellan maskulinum och femininum, den grammatiska skillnaden mellan nominativ, ackusativ och dativ som vi också ger attan i).

Självklart blir det här en meningslös diskussion. Vi kan inte gå på hur det *egentligen* heter; hur gärna vi än ville att det skulle finnas ett sådant facit till allt. Och vi kan inte heller tillsätta en diktatorisk myndighet att bestämma – det skulle stå i strid med alla demokratiska grundprinciper. Då återstår bara att gå på majoritetens språkkänsla. Hur mycket det än bär emot för många, så är det den bistra sanningen: det är vad allmänheten anser som riktigt som förr eller senare blir att betrakta som riktig svenska. Visst kan man argumentera och propagera för eller emot olika språkbruk. Men det är ändå som vid ett vanligt politiskt val – majoriteten avgör.

Det här kan man förtvivla över, när man vill ha absoluta besked om vad som är riktigt. För att verkligen få det så skulle man behöva en databas, där alla svenskar var uppkopplade. Så fort man tvekade på något ord eller någon språkform, så skulle man göra en rundfrågning om vad normen är, alltså vad folk ansåg som mest neutralt. Det är förstås helt omöjligt. Dessutom förändrar sig normen hela tiden.

Svenska Akademiens ordlista försöker pejla av normen och dess förändringar, och varje ny upplaga innebär många nyheter i språkbedömningen. Ser man den som en ”bestämmare”, och inte en rådgivare, så kan det bli hattigt att hålla koll på vad som gäller.

Det sega talspråket

Det finns också former som tvärtom är historiskt riktiga, men som idag uppfattas som felaktiga. Ibland är talspråket mer medvetet om svenskans ursprungliga grammatiska mönster än vad vår nutida skriftnorm är. Vi ska titta på ett exempel. Det klagas ofta över att folk säger ”han” istället för ”honom” i vardagligt talspråk, exempelvis ”jag såg han”. Det är felaktig svenska, och många människor verkar tro att det här är någonting som är på väg att breda ut sig. I själva verket är det tvärtom; det har varit mycket vanligare förr och är dessutom egentligen grammatiskt korrekt. I den fornsvenska grammatiken kan vi hitta förklaringen till den här formen, liksom till varför det inte finns någon som säger ”jag såg hon”.

Börja nu inte slita ert hår i förtvivlan över mina vansinniga åsikter (ni vet ju att det heter ”jag såg honom” och att allt annat är fel, fel, fel), utan följ istället med ett ögonblick till vår språkliga moder, fornsvenskan. (Den som vill kan gärna hoppa över denna övning fornsvensk grammatik, men kom då aldrig och säg att ni *vet* att det bara är slarv när folk säger ”jag såg han”.)

Förr i världen hade vi ett annat system för böjningen av ord som ”han”, mer likt det som tyskan har.

	Fornsvenska	**Nu**
grundf	han	han
ack	han	honom
dativ	honom	honom
genitiv	hans	hans
grundf	hon	hon
ack	hana	henne
dativ	henne	henne
genitiv	hennar	hennes

Ett ord som "han" böjs i svenskan alltså "han" (grundform), "honom" (objektsform) och "hans" (genitiv eller ägandeform). I fornsvenskan skilde man på två olika slags objekt, nämligen ackusativ- och dativobjekt – precis som i tyskan. Vi däremot har slagit ihop dem och använder nu allmänt i skriftspråket den gamla dativformen ("honom").

Men i talspråket lever den ursprungliga böjningen kvar. Man säger fortfarande "jag såg han" (eller i många dialekter förkortat "jag såg'en" eller "jag såg 'an") men däremot aldrig "jag såg hon". Varför inte det? Titta i böjningschemat ovanför. Det har nämligen hetat "jag såg han", men aldrig "jag såg hon". På fornsvenska hette det "jagh sågh hana", och den formen är också mycket livskraftig, men i den förkortade formen "na" – "jag såg'na" och "han mötte'na" är normalt talspråk för många svenskar.

Men dessa former etablerades aldrig i skriften – och klassas idag därför som "felaktigt" talspråk. Visst kan man hitta dem på sina håll i text; i den första svenska bibelöversättningen 1541 står det exempelvis "nepsan och sleppan" – alltså "näpsa han och släppa han". Paralleller finns på några andra håll och hade det blivit fler hade det kanske upphöjts till norm och idag varit den bästa svenska att skriva "Jag ska möta'n och hjälpa'n". (Det är inte märkvärdigare än att man i franskan skriver ihop en förkortad form av den bestämda artikeln och substantivet, ”l'æuvre”, eller i engelskan vissa centrala verb och negationen ”not” (”can't”). Till det sistnämnda har vi för övrigt en hundraprocentig parallell i det svenska talspråkets ”kan'te” (”jag kan'te komma”), något som vi i vår konservatism aldrig ens tycks ha övervägt att acceptera i skrift.)

Det handlar alltså inte om något slarv eller någon uppluckring av språket, utan visar snarare på hur segt och envist talspråket är. Att många uppfattar det här som något på utbredning beror snarare på att vi hör mer och mer privatspråk i medier och offentliga sammanhang.

Den fornsvenska grammatiken har inte alls helt spelat ut sin roll, trots att den är formellt avfärdad sedan många hundra år. Vi använder fortfarande genitivform ihop med prepositionen ”till”: ”till lands”, ”till sjöss”, ”till skogs”, ”till fots”, ”till hands” – helt i enlighet med att ”till” styrde genitiv i fornsvenskan. Det är också därför vi omtalar grannfamiljer och dylikt som ”Berglunds”, ”Olssons”, osv. De formerna kommer ur meningar av typen ”gå hem *till* Olssons”.

Talspråket håller fast vid urgamla former och låter sig inte rubbas av så enkla skäl som att man genomför förenklingar i skriften. Att tala om slarv här när vi talar vårt eget anrika språk är ungefär lika konstruktivt som att säga att en invandrare slarvar när han/

hon talar sitt hemspråk istället för svenska. Det svenska talspråket har ännu inte helt och hållet blivit utplånat av skriftspråksinflytandet, och det ska vi vara glada för.

Om talspråkets livskraftiga förmåga vittnar många exempel, inte minst den halländska byn Stek, som genom en felskrivning på 1600-talet istället döptes om till Berg. Trots att byn i snart fyrahundra år hetat Berg i alla officiella handlingar och att det står Berg på alla skyltar, så sade invånarna långt in på 1900-talet inget annat än Stek, vilket alltså är dess riktiga namn.

Så fungerar talspråket. Det lever, eller ska åtminstone leva, sitt liv oberoende av skriften. Många människor behärskar skillnaden, de kan gå omkring ett helt liv och säga ”dän” (”ta dän den där”, som kommer av fornsvenska ”dädan”, vilket betyder ”därifrån”, i överensstämmelse med det ålderdomliga ”hädan”, som betyder ”härifrån”; ”vart ska du hän?”). Men de skulle aldrig få för sig att använda formen i skrift.

Många saker som är självklara i skrift är ointressanta för talet. Hur uttalar man stor bokstav, till exempel? Och kommaterar inte människor väldigt illa när de pratar nuförtiden?

Hur talade man egentligen förr?

Pratar folk sämre svenska idag än man gjorde förr i världen?

Det beror förstås på vad man menar med ”sämre svenska”, men innan vi diskuterar värderingsfrågor så kan vi gå in något på hur man verkligen pratade förr i världen. Sådana frågor kommer lätt upp när folk får reda på att man är språkhistoriker. Skulle man kunna prata med en människa från vikingatiden; skulle vi förstå varandra? Hur pratade man på Gustav Vasas tid; lät det som svenska eller mer som danska? Och pratade alla människor på 1940-talet som de gör i gamla långfilmer från den tiden?

Några detaljerade svar på såna frågor finns ingen möjlighet att ge i den här boken. Men vi skulle utan tvekan ha svårt att förstå en vikingatida svensk, däremot skulle vi ha hyggligare chans att föra ett samtal med Gustav Vasa. Vi skulle nog tycka att han pratade väldigt underlig dialekt (de syduppländska dialekter han bör ha tillhört har dött ut för länge sedan) men vi skulle nog ha lättare att förstå honom än han oss genom en viss passiv förståelse av alla föråldrade ord och uttryck som han använde. Och vad gäller 1940-talet så pratade vanligt folk inte alls som man gör i de gamla pilsnerfilmerna, men det ska jag återkomma till senare.

Tanken att förr uttalades orden som de stavades är helt lösryckt, åtminstone vad gäller de senaste 500 åren. Den svenska stavningen vilar i sina grundprinciper på medeltidssvenskan och började slås fast i och med bibelöversättningarna på 1500-talet. På medeltiden uttalades ännu ett slags "g" i "jag" och "d" i "bröd", men eftersom bortfallet av dessa ljud gick olika fort i olika delar av landet (och på några håll inte alls) så var det för radikalt att vid den här tiden börja stava "ja" och "brö". Hade stavningsnormerna satts på 1600-talet, när de uttalen blivit mer allmänna, så hade vi säkerligen stavat på det sättet då och än idag. Och som de uttalas alltmer idag, med bokstavsuttal "jag" och "bröd", har de aldrig uttalats tidigare. På medeltiden, innan de föll bort, var det frikativt "g" (gh) och "d" (dh), ett slags läspljud som dagens svenskar är helt chanslösa att prestera. När det gäller "jag" har nog "g" bevarats mycket för att två av svenskans allra vanligaste ord hade sammanfallit i uttal – "jag" och "ja". Det gav inga problem i talet, men i skrift är det praktiskt att kunna skilja dem åt. Men stavningar som uppkommit av praktiska skäl för 400-500 år sedan föranleder alltså människor idag att göra ordentliga ingrepp i sitt talspråk.

Våra idéer att uttala orden såsom de stavas är i själva verket väldigt unga. Folk tror idag att man förr sa ”Öfre Östermalm” med ”f” om man var fin, men i själva verket hade det varit höjden av obildning, eftersom man i överklassen tyckte det var mycket obildat att uttala orden efter bokstaven. Hela idén med att uttala orden som de stavas har väsentligen vuxit fram under de sista 150 åren, och i en allt ökande takt. Fortfarande i början av 1900-talet reagerar Hjalmar Söderberg, som var en mycket korrekt herre, mot ett uttal av ”st*a*dsfullmäktige” med långt ”a”. Alla människor säger ”stassfullmäktige” och något annat kan det inte heta, menar han.

Går vi tillbaks till tiden kring 1800 så talade i stort sett alla, inklusive överklassen, ett talspråk som vi skulle uppfatta som mycket vardagligt och dialektpräglat. Följande språkprov är ur en komedi som handlar om en stockholmsk adelsfamilj vid den tiden, och ambitionen hos författaren är här att återge naturligt talspråk.

Men dä ä ju synn å plåga di stackrana länger i da då dä ä så vackert väder. Ni kan gå å roa er en stunn mina barn tess Dansmästarn kommer. (---) När Trägålsmästaren va te stan förra gången sålde han rötter å persilja för tjugetvå plåtar. Ja ha låti Fredric räkna ut va dä gör om åre, å när ja unnantar vintern då man ingen ting kan sälja, så blir dä aderton hundra trettitre riksdaler.

Det finns ingenting som tyder på att författaren överdrivit, tvärtom är det troligt att han på grund av sin vana att skriva skriftspråk missat ett och annat talspråksdrag. Troligen sade friherrinnan exempelvis ”vär” och inte ”väder”.

Att man sedan i finare kretsar också behärskade ett mer läsorienterat uttal för högtidliga tal och ceremonier är en annan sak. Det var ingenting man använde till vardags, utan bara vid speciella tillfällen.

Medelklassen och läsuttalen

I själva verket har talspråksutvecklingen i Sverige de sista tvåhundra åren gått i en glasklar riktning: folk talar allt noggrannare och uttalar orden mer och mer såsom de stavas. I Svenska Akademiens språklära från 1836 tar man upp mängder av exempel på uttal och ordformer som då ansågs vanliga bland bildade svenskar, men som idag är helt okända för samma grupp: ”fren” – ’freden’, ”rånna” – ’rodna’, ”rebben” – ’revben’, ”bol” – ’bord’, ”gäle” – ’gärde’, ”sal” – ’sadel’, ”slaji’ – ’slagit’ och ”taji” – ’tagit’.

Gemene man tror att det är tvärtom, och klagar ofta över att det är så många som säger ”flicker” nuförtiden, när det ju heter ”flickor”.

Men sanningen är den att det aldrig varit så många som använder formerna med ”o” som idag. Och det är en ren läsprodukt, vilket avslöjas av uttalet med slutet ”o” (som i ”stor”). Det rör sig nämligen ursprungligen om ”å”-ljud stavat med ”o” (som i ”kol”); det skulle alltså i så fall heta ”flickår” (som det också fortfarande gör i vissa dialekter).

Anledningen till att vi i svenskan kommit att stava med ”o” och inte med ”e”, som det uttalas i de flesta dialekterna, var från början delvis politisk. På medeltiden var stavning med ”e” (både för ändelse ”-a” och i plural ”-or”) mycket vanlig, men under slutet av 1500-talet och framför allt i början av 1600-talet försvinner dessa alltmer. Man ville markera svenskhet i den norm som sakta växte fram och därför ratades ofta former med ”e”, som fanns i danskan, det språk som man nog allra mest ville profilera sig emot (man hade ju haft flera misslyckade unioner med danskarna). I skrift upplevdes former med ”o”, som åtminstone överensstämde med vissa av de uppsvenska dialekterna, säkert mer svenska, eller åtminstone ”svealändska”.

Men vad kommer det sig då att svenskan utvecklats till ett så bokstavstroget språk? Hur har alltihopa egentligen satt igång? I många andra språk som franska och engelska gör man bort sig fullständigt om man uttalar orden som de stavas. Pröva gärna med "le croissant" eller "sunbeam" så får ni se vad jag menar. Men i svenskan tycks det vara tvärtom, och när ett läsuttal dyker upp, som "till l*a*gs" (tidigare alltid "till laggs"), så är folk nästan alltid benägna att hänga på och utgå från att alla människor de vuxit upp med varit felinformerade.

Orsaken verkar ytterst hänga ihop med Sveriges politiska historia, återigen. Förenklat kan man säga att i länder som Frankrike och England (och många med dem) är det den självsäkra adelns språk som blivit riksspråk, i Sverige är det däremot den osäkra medelklassens. Och skälet är givetvis att denna grupp fick sån stor makt här, på ett helt annat sätt än i andra länder.

Visserligen uppstod det i adelskretsarna redan under stormaktstiden ett slags talat riksspråk, men det berodde inte på att man ville skilja sig från böndernas dialektala språk, utan snarare på att adelsmän från hela landet bodde och arbetade tillsammans i olika råd och ämbeten i Stockholm, och därmed slipade av sina dialekter mot varandra, så att ett mer enhetligt talspråk uppstod. På liknande sätt gick det till i England och Frankrike, och där fortsatte sedan människor i de lägre klasserna att härma adeln – naturligtvis ville man prata som dem – och på så vis blev adelns talspråk också så småningom riksspråk.

Men så blev det nu alltså inte i Sverige. Det adliga

talspråket från stormaktstiden blev inte så mycket förebild för vårt riksspråk, som man hade kunnat vänta sig. Hur kommer nu det sig? Ja, det kan inte ges någon heltäckande förklaring så här i all korthet, men troligen har det haft en del att göra med att adeln i Sverige redan under 1700- och 1800-talet blev allt svagare. Innan deras talspråk hade börjat efterbildas ner i de lägre sociala skikten så hade nya grupper börjat få en starkare ställning i samhället – ämbetsmän, brukspatroner, industriägare och en allt växande medelklass. Adeln miste 1809 sina sista väsentliga förmåner och hade därmed inte något större praktiskt försprång i den sociala konkurrensen. Överallt i samhället dök det upp människor som inte hade sin bakgrund i den gamla adeln. Säkert var det också de, som i sin osäkerhet och vilja att vara fina, började uttala en massa bokstäver som tidigare hade varit stumma. De var inte fostrade med den gamla sortens ledi-ga talspråk och hade inte föräldrar och vänner i överklassen och visste inte vad som gällde. Därför gick man mer och mer på ordens stavning, när man ville bort från de regionalt bundna språken i sin jakt efter en högre social status.

Med en annorlunda utveckling så hade kanske svenskan liknat franskan i större mån, med olika ”stumma” bokstäver. För fortfarande under första hälften av 1800-talet så kunde en renommerad svensk språklära påpeka att ”t” är stumt i t ex ”huset” och att ”d” inte uttalas i ”bröd”, osv. Men sådana regler blev aldrig allmänna, eftersom ett annat språkbruk slog igenom.

Förklaringarna till detta fenomen är givetvis många, man ska inte skylla allt på den osäkra och nitiska medel- och tjänstemannaklassen. Den nya folkskolestadgan med de boksynta stackars folkskolelärarna som ville visa lite stolthet i främmande bygder kan nog ha bidragit, liksom frånvaron av en genomtänkt svensk språkpolitik. (Man diskuterade och velade kring en massa reformer under andra hälften av 1800-talet och till slut blev det ett stort antiklimax av alltihop: 1906 års stavningsreform där man beslutade om det radikala att stava ”v” med ”v” och inte med ”f” eller ”hv” och inte just mycket mer.)

Det var dock hur som helst aldrig överklassen som drev på den utvecklingen. Tvärtom såg man ner på alltför stelt, omständligt och noggrant språk som kunde skällas för länsmanssvenska, kommunalordförandesvenska eller byggmästarsvenska. ”Att skriva som man talar är obildning, att tala som man skriver är halvbildning”, skrev E H Törnberg.

Överklassen var trygg i sitt gamla språk, och det ledde till ett lustigt fenomen i svenskan. Under åtminstone första hälften av 1900-talet så kunde man iaktta att arbetarklassen och överklassen hade många gemensamma uttal, exempelvis "körka", "böxer" och "drånning" – former som saknades hos medelklassen. Är man intresserad kan man nog höra rester av det här än idag. Den gamla talspråksformen "hant" ("hann") har jag som inflyttad stockholmare träffat på hos såväl gamla östermalmare som äldre taxichaffisar, men aldrig hos någon i den stora stockholmska medelklassen. Det visar med all tydlighet vilken grupp som drivit på utvecklingen.

Under 1900-talets senare del har sedan läsuttalen fortsatt att öka ännu kraftigare, något vi ska återkomma till. Men vi kan utan tvekan konstatera att alla talade mer talspråkligt och dialektalt förr, och att om man nu har skriften som mall för uttalet (som de flesta tycks ha) så har ingen generation svenskar pratat så "bra" som dagens.

Svenskan – ett fattigt språk?

Att man ofta hör påståenden om att svenskan är ett fattigt språk är egentligen förvånande. Mycket tyder nämligen på att den är ovanligt ordrik. Vi har lättare att bilda sammansättningar än många andra språk, och vår verbbildning är enastående produktiv. En anledning till föreställningen kan vara den naturliga jämförelsen med engelskan, som i sin egenskap av världsspråk är världens kanske ordrikaste språk.

"Kriminalsvenska":

tjåla

jiddra

punda

flumma

torska

stenad

uppåttjack, nedåttjack

noja

sprutluder

gola

Brist på ord hos enskilda människor handlar i och för sig väldigt lite om språket som sådant; det avspeglar snarare brist på erfarenhet, intressen och kunskap om människan, naturen och samhället. Men ordrikedom på ett övergripande plan avgörs givetvis mycket av var vi sätter gränserna för vårt språk.

Om vi förnekar en massa vardagliga, dialektala, ovanliga, speciella eller sällsynta ord och säger: "Det där är väl inte riktig svenska", så begränsar vi utgångsläget ordentligt. Man kan inte utgå ifrån att *hela* ordförrådet i ett språk ska vara mera allmänt känt och använt. Av hela den rika engelska ordskatten är det bara en bråkdel som används aktivt av den genomsnittlige, engelske arbetaren.

Svenskan är ett rikt språk, men bara om vi tillåter den att vara det. Det finns en enorm ordskatt att tillgå, men de flesta utnyttjar den inte, i brist på intresse eller bara av ren lättja. Går man till Svenska Akademiens ordbok – inte ordlistan som är utgiven i ett band, utan den stora, i över trettio band – då har man svårt att påstå att det skulle saknas uttryckskraft. Men ordboken har ingen begränsande uppgift; den redovisar det svenska språket i hela sin vidd, så som det förekommer eller har förekommit i skrift sedan 1500-talet.

Ordbokens redaktion är inte smakdomare och diskuterar om ett ord finns eller inte. Har någon använt det och gjort sig förstådd med det så redovisas det. Om Ulf Lundell skriver om ”cityhålorna” eller Linda Skugge använder ett ord som ”hjärnslött”, så kommer de obönhörligt att komma med. Man tar vara på den språkliga kreativiteten, istället för att fördöma den. Ta gärna en titt i denna ordbok, det är ett fantastiskt verk.

Omoderna begrepp:
flygmaskin
bildrulle
dragkedja
lillvärdinna
finåka
sömmersketips
rulla hatt
datamaskin
bondfångare
TV-kanna
rikssamtal
halvfabrikat

Gemensamt för våra allra största författare, som August Strindberg och Astrid Lindgren, är ju också att de – och en skrälldus med författarkollegor – har ett oerhört rikt och brett ordförråd med många egna ordskapelser. En viktig nyckel till deras framgång ligger i att de utnyttjar det svenska språket optimalt.

Astrid Lindgren-ord:

spunk

sprinta

nussika

tirritera

sakletare

kommandora

mystikusar

spring (i bena)

rumpnisse

fy bubblan

stolleprov

pilutta dej

Att över huvud taget tala om svenskan som ett fattigt språk, där vi kan precisera sådana exakta betydelser som snuttifiera och skåpsupa, är närmast löjligt. Ett språk där man kan kånka, krafsa, hångla, skräna, kravla, glöta, pyssla, svassa, gruffa, dingla och roffa åt sig. Och där man kan få dåndimpen, bli hagalen, kväva kaffegäspen, lägga ut dimridåer eller ha hög mysfaktor. Ett språk där man kan vara lillgammal, nykissad, lättfotad, avbajsad, påflugen eller spritt språngande naken. Eller där man alltid kan dryga ut sitt ordförråd med gamla uttryck som buksvåger, varnagel, makapär, rådvill, sålunda, ingalunda, medelst och till yttermera visso. Och röra sig med såna begrepp som jazzskägg, blomkålsöron, lidingömelitta (en herrhatt av överklasstyp) och hängbröstvänstern. Ett språk som kan skapa ett begrepp som hängbröstvänstern kan aldrig beskrivas som fattigt.

5

sjuk gymnast

om rätt och fel

När ska man egentligen rätta?

Många som läser den här boken får kanske uppfattningen att jag tycker att ingenting någonsin kan vara fel och att man aldrig kan eller får rätta andra människors språk. Så är det inte riktigt. Men begreppet ”fel” är ju, som vi sett, någonting mycket relativt. I alla händelser är det kanske bättre att ta sikte på vad som är bra eller dåligt.

Dessutom måste man ju ta hänsyn till bland annat situationen och omständigheterna. Att exempelvis rätta en människas dåliga och barnsliga uttal när hon pratar med en bebis vore verkligen felriktat; ”Det heter inte 'en tån liten tötnosch' ...” Hela idén med språket är ju att kommunicera, och att tala om ”fel” är därmed främst intressant när kommunikationen inte fungerar som den ska och budskapen inte når fram.

Det finns också föreställningar om att man kan skada språket om man använder vissa ord, böjningar och uttryck, så låt oss ta en liten genomgång: När har man rättighet att rätta andras språk? Och när bör man göra det? Och i vilken utsträckning kan vi göra språket skada?

Nutida ungdomsspråk:

tjafsa

strula

värsta (värsta kul)

järnet (duscha järnet)

kexig

snubbe

saggigt

suger (det som är dåligt suger)

glajda

dissa

grym (bra)

fet, fett

Vi får då börja med att slå fast att vad som är rätt och fel varierar från situation till situation. Många regler som man använder i skriftspråket är helt ovidkommande och ogiltiga för talspråket. De som terroriserar sin omgivning utifrån föreställningen att så och så ska det heta när man talar för att ”så skriver man” eller ”så stavas det” har missförstått det mest elementära i språkets uppbyggnad. Om människor skulle ägna sin tid och energi åt att ideligen tänka efter och vara rädda för att inte använda rätt former så skulle samtalen flyta trögt och osmidigt.

Dessutom är talet ett direkt uttryck för en människa, i det ska hon visa sin vilja, sina känslor och önskningar. Det finns egentligen aldrig någon riktigt försvarbar anledning att kritisera det talade språket i privata sammanhang, däremot ska man alltid vara tydlig med att ge gensvar och tala om när man inte förstår. Det är ju det som är det viktiga i hela situationen – blir jag förstådd eller inte, går budskapet fram?

Både när det gäller tal och skrift så kan former som vi är ovana vid göra att vi missar budskapet. Anledningen till att nyhetsuppläsare sällan pratar någon utpräglad dialekt, eller använder något personligt ordval, är ju att det skulle stjäla för mycket av koncentrationen på själva nyheterna. Av samma skäl får de inte ha för uppseendeväckande kläder eller frisyrer; det skulle vara olyckligt om vi satt och hakade upp oss på någon lustig ordbildning hos Jarl Alfredius eller skärskådade Anna Lindmarkers nya dreadlocks istället för att ta in den senaste utvecklingen i Azerbajdzjan.

Om en människa i sitt språk använder former som gör att vi har svårt att koncentrera oss på budskapet, eller över huvud förstå det, kan det ha olika orsaker:

1. Hon kanske medvetet vill skapa en stilistisk eller språklig effekt genom att uttrycka sig originellt. – Då är det absolut inget vi ska eller kan göra åt saken, annat än att vara tydliga med om budskapet inte går fram.
2. Hon kanske inte behärskar något annat sätt, har en språklig brytning eller talar en helt annan dialekt än du. – I så fall är det inte heller mycket hon kan göra för att överbrygga klyftan, men vi kan givetvis försöka gå henne till mötes, samt tydligt visa när vi inte förstår.

3. Hon kanske inte vet om att ord eller former hon använder inte ingår i den vanliga normen, och att de skapar oönskade bieffekter i form av associationer, löje, osv. – Här kan det vara bra att få bistånd från sina medmänniskor, om man vill att de ska koncentrera sig på *vad* man säger, inte *hur* man säger det. Om en person uttalar ordet ”genre” bokstavstroget kan det vara schysst att upplysa henne om att det sedvanliga uttalet är ”schanger”.

Det här är ett gemensamt rättesnöre för den respons man ger både på tal och skrift – *att hjälpa folk att bli medvetna om vilken effekt deras språk har på omgivningen*. Oavsett om det är rätt eller inte. Om en människa böjer verbet ”hjälpa” med formerna ”halp, hulpit”, så är det förvisso historiskt riktigt, men det kan vara bra att veta att de av omgivningen säkert uppfattas som skrattretande och halvt obegripliga. Sedan är det upp till henne själv att analysera det och fundera på vad hon vill göra åt saken.

Om talspråket är ett direkt uttryck för människan själv, så har skriftspråket snarare att göra med hennes kulturella identitet. Att kritisera det är givetvis inte lika intimt; det är inte som en del av hennes person utan mer som en inlärd färdighet eller ett hantverk. Det är ungefär som skillnaden mellan att bedöma en människas utseende eller inre egenskaper å ena sidan och hennes förmåga att kunna snickra, måla eller diska. Det senare är betydligt mindre känsligt. Dessutom hör det till saken att skriftspråket har en norm på ett helt annat sätt än talet. Som vi tidigare sett så har skriften talet som förebild men har ett starkt förenklat system. Därför finns det betydligt tydligare regler för hur man skriver.

Åskådliga ord:
bylsig
bibba
drypa
frukostera
bulla (upp)
gastkramad
hatta
gaffla
formidabel
purra
futtig
hagalen
avgrundsvrål

I vilken utsträckning man förväntas följa de reglerna beror förstås på i vilket sammanhang man skriver något, och vem som ska läsa det. När människor skriver små lappar, eller anteckningar, eller skickar e-post, kan man göra det lite som man har lust med. Om något inte skulle framgå klart kommer man snart att få reda på det och tvingas förtydliga sig. Samma enkelhet gäller inte när man skriver utskick i bostadsrättsföreningen eller menyn på kvarterskrogen. Och absolut inte om man arbetar på en dagstidning. Enkelt uttryckt: ju fler människor som ska läsa det man skriver, desto större anledning att följa de normer som är gemensamma för alla. Och möjligheterna att förtydliga sådant som läsarna inte förstått försämras ju fler man kommunicerat med.

Ord från sexlivet:
orgasmterapeut
g-punkt
trekant
penisattrapp
fickvagina
mellangården
knullsugen
fontänorgasm
raffset
kärleksmussla

Givetvis skulle skriftspråket aldrig förändras om alla människor följde samma norm slaviskt hela tiden. Att medvetet göra ”fel” kan vara en viktig del av utvecklingen i ett språk; det krävs alltid ett visst mod för att få till förändringar. Former som ”har” och ”blir” var i början av 1900-talet radikala experiment hos unga skribenter, som så småningom fick fler och fler efterföljare. Hade det inte varit för sådana pionjärer hade vi fortfarande skrivit ”haver” och ”bliver” idag. Så visst kan det finnas anledning att bryta mot normen, men man ska inte göra det utan att veta om det och ha ett syfte med det.

Om vi nu tittar på olika språkfel, eller avvikelser från normen som jag egentligen skulle föredra att kalla det, så kan vi dela in dem i olika kategorier och studera vilken negativ effekt de kan ha, för språkbrukaren och för språket.

- Fel som rör enskilda ord och uttryckssätt. Exempel: felstavning (”drikka”, ”stog”), felböjning (”skärde”), felaktig ändelse (”schlagers”, *eng* plural-ändelse på ett tyskt lånord) och liknande. Den negativa effekten är här rätt enkel att bedöma. Det finns ingen större risk att man skadar språket, risken att andra ska ta efter finns förstås, men det gäller då bara ett enstaka ord. Däremot är det lätt att uppmärksamheten flyttas från innehållet, vilket ju är till skada för en själv om man vill att budskapet ska gå fram.

- Fel som rör förhållandet mellan flera ord och uttryck och dess betydelse. Exempel: sammanblandning av två ord –"Chansen att han skulle dö var inte särskilt stor." I svenskan syftar "chans" på positiva möjligheter, "risk" på negativa. Använder man dem på omvänt sätt bidrar man till att beröva språket möjligheten att uttrycka den skillnaden. Den negativa effekten blir här alltså att man underminerar en enskild dimension i språket. Ett annat exempel är "själv/ensam". "Jag bor *själv* i lägenheten", säger folk gärna idag, när de menar "Jag bor *ensam* i lägenheten". Distinktionen mellan att vara "ensam" och att göra något "själv" (d v s jag och ingen annan) kan vi ha god användning av även i framtiden. Om de, liksom "risk" och "chans", börjar betyda samma sak blir svenskan ett sämre och mindre precist redskap.
- Fel som rör hela system i språket. Exempel: felaktig särskrivning av sammansatta ord – "korv kiosk", "höst bazar". Det här är ett vanligt fel,

som många svenskar gör, delvis efter engelskt inflytande. Icke desto mindre är det åt helsike, eftersom särskrivning eller hopskrivning är betydelseskiljande i svenskan (men inte i engelskan och många andra språk). Titta på betydelsen av följande ord och jämför med att läsa ihop: "sjuk gymnast", "sex filmer", "svensk älskare", "brun hårig man", "engelsk lärare", "kassa skåp".

Skällsord med oklara/oväntade efterled:

larvpotta
skitstövel
fåntratt
skvallerbytta
mespropp
bondlurk
hoppjerka
blekfis
surpuppa
snåljåp

Här riskerar man, förutom en hel del annat, att beröva språket en viktig distinktion, som ibland kan gå ner i de finaste detaljerna. Det sammansatta ordet står i regel för ett etablerat begrepp, medan det särskrivna är en mer tillfällig förbindelse. "Små kakor" är inte riktigt samma sak som "småkakor"; man kan baka flera små mjuka kakor som därmed inte blir "småkakor" för det. I sådana här fall ligger betydelseskillnaden i att det sammansatta ordet står för ett etablerat begrepp, medan den särskrivna är en tillfällig förbindelse. Skillnaden mellan "jesussandaler" och "Jesus sandaler" är alltså att det första är en modell som ser jesuslik ut, medan det andra är hans egna skor. Vem som helst kan alltså ha jesussandaler på sig, men ingen går omkring i Jesus sandaler. En ”naken badare” är en person som endast vid det speciella tillfället badar utan badkläder (hon/han kanske inte hittade dem) medan en ”nakenbadare” är någon som gjort hela grejen till en livsstil.

Skällsord med djur inkluderat:

plugghäst
latmask
sjöbjörn
landkrabba
smilfink
taskmört
svinpäls
mansgris
sladdertacka
luspudel
kåtbock

Det är viktigt att slå vakt om de små betydelsenyanserna i språket, för det är dem man har nytta av när man vill vara precis. Språkintresserade kan ibland fråga sig om inlagd sill är ”god” eller ”gott”? Sanningen är att bägge formerna kan vara riktiga, och det finns en betydelseskillnad mellan dem. Böjningen ”gott” kommer givetvis ur fraser som ”det är gott med inlagd sill”, och då syftar man på hela företeelsen att äta inlagd sill, med allt vad som hör till; färskpotatis, knäckebröd, öl och ev snaps. Pratar man om den inlagda sillen som ”god” är det bara själva sillen och dess kvalitet man yttrar sig om.

Sedan finns det förstås alltid mängder av enskilda ting och företeelser att diskutera. Själv kan jag tycka att det är bedrövligt att det relativt nybildade svenska ordet ”sambo” ofta böjs med engelsk flertalsform (”sambos”). Ordet är ju bildat av ”sam” (som i ”samkväm” och ”samlag”) och ”-bo” (som i ”Strängnäsbo” och ”stadsbo”). Böjningen är alltså lika logisk som att tala om ”Solnabos”. Men det viktiga här är kanske ändå att se till den bakomliggande orsaken; folk tycks tendera att identifiera ordet som ett anglosaxiskt lånord istället för en inhemsk bildning. Ordet är ju medvetet vitsigt bildat som likalydande med det afrikanska mansnamnet ”Sambo”, och det verkar påverka såväl betoning som böjning.

Språket är inkonsekvent

De regler vi kan ställa upp för språket är sällan absoluta. Och de är inte heller alltid konsekventa, något som ordentligt kan irritera ingenjören i oss. Men så måste det vara. För vårt språk är ett resultat av människors användning av det, inte av en akademi eller en nämnds planering. Därför finns det inkonsekvenser. Ett hus kan till exempel både ”brinna upp” och ”brinna ner”, och det betyder samma sak. Det kan vara högst personligt vad man menar med ”längre fram” och ”längre bak” i en bok eller tidning. Och det heter ”illa-värre-värst” (inte ”illare”), ”liten-mindre-minst”, osv. Ibland saknas en form helt: ”få-färre-?”

Språklagar kan också upphävas när ord hamnar i nya situationer; flertalsformen av ”gås” är ”gäss”, ändå heter det ”smörgåsar”, inte ”smörgäss”. Den formen fanns en gång i världen, men eftersom ordet allt mindre associeras med fågeln ifråga får det ett eget liv och en egen böjning. På samma sätt är det med ordet ”mus” som på senare år börjat användas i två nya betydelser. Om det syftar på en liten gnagare är pluralformen ”möss”, men om vi använder det överfört, om redskap till datorn eller kvinnans könsorgan, blir den böjningen plötsligt orimlig. ”Han hade testat olika möss till sin pc” – knappast. Ordet böjs som det var helt nybildat – en ”mus”, flera ”musar”. Om böjningen av ett ord ska klassas som riktig eller felaktig kan alltså bero på i vilken betydelse vi använder det.

Tidningsord
(mest kvällstidningar):

rasa
slå larm
kändisbaby
sexpräst
räntefälla
spritfest
folkstorm
chockhöjning
lägenhetsbråk
lyxknark
låglöneträsk
mördarvirus
radhushora
TV-fest

På det viset har språket ibland ett eget liv, som kan vara nog så komplicerat att greppa. Det kan finnas oskrivna lagar i språket som nästan alla iakttar utan att någon egentligen vet om dem. Först i sen tid upptäckte man att det fanns ett visst system i svenskan för hur man använder "s" när man sammanbinder ord. Det inträder mellan andra och tredje ledet när man sätter ihop ord av tre led – "järnvägskorsning", men inte på samma ställe mellan bara två led; det heter "vägkorsning" utan "s". (Det finns dock vissa avvikelser.) Där fanns ett system, det hade använts i århundraden, nästan alla visste om det utan att veta om att de visste om det.

Och hur många vet idag om att verbet "smälta" egentligen är två olika, med olika böjningar – ett starkt och ett svagt? Om man utför en handling för att få något att "smälta" är det svagt ("han smälte ner guldet"), om det handlar om den konkreta processen är det starkt ("glassen smalt i solen"). Jag har själv iakttagit den regeln hela livet trots att jag på ytan varit omedveten om den; jag skulle till exempel aldrig säga "han smalt ner guldet". Och det som jag länge trodde bara var fråga om något slags "sörmländskt slarv" visade sig alltså vara en anrik kunskap i språket.

Större än mig eller större än jag?

Folk som anser sig veta bättre rättar gärna sin omgivning vid fraser av typen: "Han är större än mig." Denna böjning är felaktig; det ska heta "Han är större än jag”, eftersom det är underförstått en förkortning av ”Han är större än jag är”. Den motiveringen är både logisk och historiskt riktigt, men frågan är om den är så intressant. Vi har ju sett att det finns massor av saker som är historiskt riktiga, men ändå inte på något sätt tillämpliga idag.

Vad kommer det sig då att folk sätter in ett ”mig” där? Jo, därför att man är van vid att det brukar vara objektsform sist i sådana meningar: ”Han lämnade boken till mig, efter en massa letande fick de syn på mig.” Därför säger vanan och språkkänslan oss: objektsform sist (och därför tycker också många att det låter knasigt när Christer Sandelin sjunger: ”Den hon vill ha, det är jag” – trots att det är grammatiskt fullt korrekt. Notera att satsen innehåller två subjekt, i sig inget konstigt, men vi är vana vid att de kommer i omvänd ordning: ”Jag är den hon vill ha”).

De flesta tycker nog att man självklart ändå ska gå på det grammatiskt riktiga, och inte på folks språkkänsla. Men det är på sätt och vis en lönlös kamp man för; människors språkkänsla kommer man ändå aldrig att komma ifrån, den blir förr eller senare utslagsgivande. Vad man här vill överbrygga är det faktum att människor i stor utsträckning mist känslan att skilja på objekt och subjekt. Istället följer de alltmer var i meningen själva ordet är placerat.

Det här verkar vara en naturlig utveckling, i

många närbesläktade språk har man gått betydligt längre. I danskan heter det ”Det er meg” (”Det är jag”), på motsvarande sätt i norskan och i engelskan används objektsformerna inte bara genomgående när det är ”objektskänsla”, utan även i fraser som ”Me and you” (”Jag och du”). Självklart kan vi gå vår egen väg och försöka upprätthålla ett äldre, och historiskt riktigare, tillstånd i svenskan. Men det handlar då om att få människor att lära in något som de egentligen inte har språköra för. Det blir som ett slags konstgjord andning, och man kan väl fråga sig hur meningsfull den är i längden. Engelsmän och våra grannländare, som accepterat att de mist denna behärskning, klarar sig alldeles utmärkt ändå.

Här finns också många paralleller. Enligt gängse svenska rekommendationer ska det heta ”Kungens av Danmark bröstkarameller”, med genitivändelsen på huvudordet och inte i slutet av själva substantivfrasen. Ett sådant uttryckssätt är både konstlat och stendött för de flesta svenskar, vilka i sitt lediga talspråk utan att blinka kan använda konstruktioner som ”han som var sjuks cykel” eller ”hon som satt framför migs hatt”. Att strida för hur det egentligen borde vara, när detta går käpprätt emot de flesta människors spontana språkkänsla, måste vara en förfelad kamp.

”Det där ordet har du själv hittat på”

Det är inte ovanligt att människor, när de hör ett nytt ord, säger: ”Det där ordet finns inte, det är fel, det har du hittat på själv.” Här finns ett feltänk från första början, eftersom alla ord är påhittade av människor. Av alla dåliga kriterier man kan ha för att anmärka på andra människors språk, är det här nog den allra sämsta. Man kan tycka att ett ord är luddigt, obegripligt, felsyftande, konstigt använt, svåruttalat, eller vad som helst. Men man kan inte påstå att det inte finns.

Gamla hederliga utrop:
kors
jösses
jämrars
åt pepparn
åt pipsvängen
järnspikar
anacka
anamma
för böveln
huggarn
död och pina
gå upp i limningen
dra på trissor

Ett ord finns nämligen från det ögonblicket som någon har sagt eller skrivit det. Sedan är det upp till omgivningen (dvs vi svenskar) om vi gillar ordet, har användning för det och det därmed blir etablerat. Blir det det, så kommer det vad det lider att tas upp i allehanda ordlistor.

När folk rycker tag i den för att kolla om ett ord ”finns” så är de egentligen ute efter att se om det är etablerat eller inte. Inte om det existerar. Ett ord som man diskuterar finns alltid, annars skulle man inte kunna diskutera det.

Föreställ er att man skulle driva den motsatta föreställningen till sin spets; ett ord finns bara om det står med i Svenska Akademiens ordlista. Det blir som ett slags moment 22, för var ska dessa redaktionskrakar få tag på orden? Då måste de själva hitta på alla nya begrepp vi behöver, eftersom ingen annan "får".

Var tror man över huvud taget att alla svenska ord kommer ifrån? Tror man att det satt något slags svensk språknämnd på vikingatiden och hittade på ord åt folk när de behövde dem? Föreställ er att dagens inställning till språket funnits hos våra förfäder: en kvinna under järnåldern som behövde ett ord för "bli gul" var sedan utifrån egen kompetens inne på att bilda det inkoativa "gulna", men sedan hejdade hon sig: "nej, men inte ska väl jag, jag vet ju inte om det blir rätt och det ska väl inte jag ta mig såna friheter ..."

Med den inställning som råder idag, blir det ibland rent parodiskt. Det påstås exempelvis ibland att motsatsen till "överdrift" inte är "underdrift", utan ska heta "understatement". Det finns nämligen ingenting som heter "underdrift", hävdar man, trots att svenskar vid oräkneliga tillfällen spontant bildat ordet för att fylla en språklig lucka. ”Underdrift” är logiskt, begripligt, funktionellt, och det är bara att underdriva, bäst man vill.

En invandrarstudent skrev att något var ”nackdelaktigt” för honom. De flesta skulle döma ut den formen som okänd, men vad tjänar vi på det? Det är en utmärkt synonym till det på sätt och vis krångligare ”ofördelaktigt”, som också kan få en mer markant betydelsenyansering. En infödd svensk skulle kanske aldrig våga bilda det idag, vilket visar att vi blivit allt osäkrare. På så vis kan barn och invandrare understundom vara skickligare språkbrukare än vi andra, eftersom de måste vara kreativa för att fylla sina egna luckor. Då ser man mer till möjligheterna än begränsningarna.

Moderna ord 1930-40-tal:

styv
käck
klämmig
alla tiders
bussig
kul
tjusig
lattjo
pysa
hyggligt
nedrig
brallis
rysligt
kalaspingla
tomtar på loftet

Men ovanan ställer till mycket för oss. Resonemanget är lika ologiskt som när böjda former som ”orangt” (tyg) och ”beiga” (kläder) förnekas eller bedöms som felaktiga. Den enda anledningen till att vi reagerar på dem är ju att vi är ovana vid dem. Självklart kan man omskriva med ”beigefärgad” och liknande, men långt bättre är väl att vänja sig vid de här formerna, som språket verkligen behöver.

Men många mindre vanliga böjningsformer av ord lyckas aldrig etablera sig i språket, eftersom de skapar en sådan osäkerhet hos människor. Hur böjer man ordet ”rädd” när det gäller ett barn – ”barnet är rätt”? Vad heter infinitivformen av ”måste” – ”det är tråkigt att måsta gå hem”? Hur komparerar man ”kul” – ”kulare, kulast”? Vad är den bestämda formen av ”sex” – ”sexet”? Alla de här formerna skulle funka utmärkt, det krävs bara att några har mod att använda dem, så att de blir etablerade.

Nyhetens obehag

Därmed har vi kommit in på en viktig fråga: Vad är det som gör att människor så lätt fördömer nya språkliga uttryck? Och varför tycker man nästan alltid att nya ord låter lite fåniga? När man annars i vår kultur pratar om nyhetens behag, får man när det gäller språket istället tala om nyhetens obehag.

En konstruktion som jag ofta hört utskälld är typen ”vi var bara tre personal på jobbet”. Att tala om en eller flera personal anses vara en nyspråklig, förhatlig hybrid. Men givetvis finns det bakom detta ett praktiskt behov som drivit fram denna utveckling.

Man behöver ett språkligt uttryck, ”anställda i tjänst” är alldeles för krångligt och har man inget generellt ord måste man specificera (”vi var bara två undersköterskor och ett vårdbiträde på jobbet”). Det blir långt och krångligt och flyttar dessutom fokus bort från den viktiga informationen (hur många man var som delade på arbetsbördan). Det nya bruket att använda ”personal” som en ändelselös pluralform är ännu inte accepterat, men kommer säkerligen att bli det, såvida inte någon kläcker ett bättre uttryck för motsvarande.

Moderna ord 1950-tal:

pangbrud
urfånig
toppen
botten
ragga
ärtig
böna
gå på pumpen
busenkel
poppis
pudding
fina fisken
knäpp

Annat som man hört fördömas är barn- eller ungdomsspråkliga ”skämmig”. Som bildning är ordet knappast överraskande. Visserligen finns redan ”pinsam” och ”genant” med ungefär samma betydelse, men för barn och tonåringar som ofta skäms över sina föräldrars beteende är det ett centralt betydelsebegrepp (jämför gärna med hur andra centrala begrepp som ”pojke”, ”flicka”, ”pengar” och ”ha sex” ständigt förekommer i mängder av vardagliga synonymer). Ordet är direkt bildat till ”skämmas”, och är absolut inte liktydigt med ”skamlig”. Sedan ordet skam med samhällets utveckling blivit delvis föråldrat har ”skamlig” kommit att kopplats till grövre ting, ofta av sexuell natur.

Moderna ord 1960-tal:

digga

partaj

toppmodern

spola

fläng

dumburken

deppa

frän

fräsig

kompis

ding

Men nya ord känns alltid ovana. Själv minns jag när tjugokronorssedeln lanserades på åttiotalet, hur det genast uppkom diskussioner om vad de skulle kallas. Det analogiska ”tjuga” (jfr ”femma”, ”tia”) var många tveksamma till, trots att det var väl underbyggt, inte minst genom den gamla vitsen ”Hellre en tia i handen än en tjuga i foten”. Det låter ju så fult, hävdade många, och lovade att de aldrig skulle använda det ordet. Alltsammans var förstås ett utomordentligt exempel på nyhetens obehag. Bara några decennier tidigare hade samma diskussion försiggått kring den nya tian – en femma var man van vid men en tia lät ju så konstigt...

Man vänjer sig dock. Idag är bägge orden accepterade och väl använda, även om man kan notera att en och annan fortfarande undviker ”tjugan” och framför allt är osäker inför flertalsformen ”tjugor”. Och det visar på sitt sätt att det språkliga tillståndet blivit stelare och mer fruset på bara några årtionden.

Nya ord är ofta alltså obekväma bara för att de är nya. De behöver en tillvänjningsperiod. Ibland räcker det med att de blir omdiskuterade och folk vädrar sina åsikter kring dem. Viktor Rydberg, 1800-talsförfattaren, lanserade till exempel ett ord, "dryfta", som han hittat i någon fornnordisk text. Det väckte mycket löje bland en del, men det fanns också de som gillade det. En viss debatt utbröt bland skribenter, journalister och andra tyckare. Efter en tid konstaterade någon att nu hade man "dryftat" det här ordet så mycket att man lika gärna kunde börja använda det.

Moderna ord 1970-tal:

häftig
banga
simma lugnt
stans, världens, jordens
ge järnet
stel
brud
lägg av
lägg ägg
sune, sunig
coola ner
slut (i huvudet)
mysig
diskooffer
uppleva

På samma sätt har i modern tid ord som blivit indragna i någon diskussion ofta snabbt etablerats i svenskan – tänk bara på "värstingar", "fittstim" och "ståpäls". Ett ord tycks ofta behöva ett slags tillvänjningskarantän, där det så att säga existerar, fast inom citationstecken, innan folk vågar använda det. Det är ungefär samma mekanism som ligger bakom fenomenet att låtar så ofta blir hittar sedan de lanserats i en reklamfilm. Här får de tillfälle att etablera sig med en långsam tillvänjning; folk får portionsvis ta dem till sig.

Men det kommersiella stödet har givetvis inte nya ord som lanseras. I alla fall sällan inhemska bildningar. Amerikanska ord kan dock hårdlanseras om det finns kommersiella intressen någonstans i bilden: "bungy jump", "airbag", "fastfood", "pan pizza".

Moderna ord 1980-tal:

bit
guld
kanon
precis
trendig
kitsch
sitter bra
inte helt fel
inte ha en suck
lyft
insnöad
kalkon
på g

Inhemska ord har svårt att slå igenom utan den uppbackningen. Många får aldrig hjälp nog att ta sig igenom den löjeväckande perioden. Redan på 1870-talet föreslogs "snudd" som ett inhemskt ord för "tangent". Det kan verka fånigt idag, men det hade varit den normalaste svenska om det slagit igenom. 1987 föreslog ICA-Kuriren "nuddare" för touchkontroll, men inte heller det har fått tillräcklig stöd för ett genombrott. Vi skulle behöva ett bra medialt forum i Sverige idag, där nya ord fick en chans att "visa upp sig" för den stora publiken. Annars kan det bli svårt att hålla liv i den svenska ordbildningen.

I det här sammanhanget vill jag också passa på att

slå ett slag för ord om jag tycker man saknar i riksspråket. Det kan antingen bero att de är mer eller mindre dialektala eller begränsade till vissa kretsar, eller att de helt enkelt håller på att glömmas bort av yngre generationer. Nog skulle vi mer allmänt ha användning för ett ord som ”tyckmycken” (adj), ’som har mycket åsikter’. Det platsar in bra på betydelseskalan, mitt emellan ”kräsen, petig” och ”besserwisseraktig”. Nästan lika användbart är det i Sörmland vanliga ”påklådig” (adj), ’som hela tiden tar på, rör vid eller undersöker saker (oftast av nyfikenhet)’. Ifrån min värmländske morfar använder vi i familjen också ordet ”hypaté” (adj), vilket jag ideligen försöker lansera i rikssvenskan. Det betyder ’omåttligt entusiastisk, överdrivet upphetsad’ och motsvarar väl närmast det rikssvenska ’bli till sig’, ett uttryck som det för övrigt också snålas med i onödan. Jag skulle dessutom gärna vilja att folk förstod det sörmländska ”söckert” (adj), som betyder ’vardagligt, enkelt, trist’ (det är bildat till ett äldre ord för ”vardag”, som återfinns i uttrycket ”helg och söcken”).

Moderna ord 1990-tal:
klockren
exakt
kexig
vara på och av
varning
typ (redan på 80-talet)
mörka
kod
spejsad
nörd
sitta lite tajt
kuka ur
häng kvar
sunkig

Ett mycket användbart uttryck, som används norrut i landet, är ”ligga på aga”. Det betyder 'sova lätt (och oroligt), ofta för att man ska upp tidigt eller har något att passa'. Där har vi något som många gör, men som definitivt inte har ett motsvarande uttryck i standardsvenskan. Då och då kan man höra folk använda det gamla hederliga ”okynnes” (som i ”okynnesäta”, 'äta fast man inte är hungrig'), och det är verkligen ett ord som förtjänar sin plats (”okynnesröka”, ”okynnesdricka”, etc).

Av nyare ord jag stött på, och gärna vill rekommendera, kan jag nämna: ”förkylningsunge” ('liten, obetydligare förkylning'), ”gnussa” ('gnugga näsorna mot varandra, eskimåpussas', vilket antagligen är en kontamination mellan ”gnugga” och ”pussa”), ”villuppare” (”wannabe”), ”rödvinsdjup” (om person som gärna och ingående diskuterar existentiella frågor under inflytande av alkohol) samt ”kökspsykologisk” (egna psykologiska slutsatser på amatörbasis, enligt sunt förnuft-principen).

En språklig lucka tycks också ha blivit täckt genom att barn idag talar om att ”ola”, d v s avgöra något genom räkneramsa. Bildningen måste rimligen komma från ”ole-dole-doff”, som väl inte hörs så ofta numera.

6

frysnoga och lamppigg

hur lär sig barn egentligen språket?

För att bättre förstå hur vi fungerar med vårt språk, och varför vi beter oss som vi gör, ska vi nu återvända till alltings början: barndomen. Det är den intensivaste fasen i den mänskliga språkutvecklingen; det är där nästan allt händer. Och där kan vi lära oss mycket. När det gäller förnyelsen av språket och att hitta på nya ord så är barn nämligen helt överlägsna oss vuxna.

När man som barn lär sig språket äntrar man sakta en annan värld. Det är ingen tillfällighet att de flesta människor har sina tidigaste barndomsminnen ifrån tre-fyra årsåldern. Det är nämligen då som man kommit så långt i sin språkutveckling att man kan sätta ihop hela meningar och börja göra sig förstådd. Då får man en tydligare upplevelse av världen, och – framför allt – man kan börja dela den med andra.

Jag minns hur förbluffad jag själv blev när min dotter vid nyss fyllda tre konstruerade följande mening: ”Det är skönt att sitta med sin mamma och pappa på uterummet och äta efterrätt.” Det var i och för sig en hyfsat avancerad mening för en treåring, men det märkligaste var nog känslan av att hon kunde uttrycka sig; hon kunde kommunicera. Från att ha varit ett jollrande, gulligt koltbarn hade hon plötsligt blivit en egen individ, som förmedlade sina känslor och tankar på ett nytt effektivt sätt. Det är inte undra på att barn ofta får en hisnande känsla av sina egna och världens möjligheter när de i den åldern "exploderar" och börjar behärska språket.

Men vad är det då egentligen som gör att de kan lära sig språk? "Hur kan små barn lära sig ett så svårt språk som exempelvis kinesiska?" tänker man ibland och är fullt medveten om att det är en korkad infallsvinkel, men man kan ändå inte låta bli att undra. Liksom att kittlas lite av tanken på att man själv skulle ha behärskat ryska eller arabiska till fulländning, om man bara vuxit upp i sådan miljö. Hur ser den kraft ut som gör att små barn kan lära sig tala det språk de hör omkring sig? Vad driver dem? Hur går det egentligen till?

Det innehållslösa härmandet

Länge trodde man att alltihop handlande om härmande. Barn härmar sin vuxna omgivning, till en början ofta utan att ha en aning om vad saker och ting betyder, men sedan efterhand med bättre och bättre resultat. Det här är något som börjar tidigt; redan i jollret kan man urskilja ljud och stavelser ur föräldrarnas språk och som barnet på det sättet börjar bekanta sig med. Men långt upp i barndomen kan man höra barn slänga ur sig saker som de bara hört och egentligen inte alls menar någonting med. I samband med barn med förlossningsskada har jag hört termen *cocktailsyndromet* – de har förmåga att säga hela meningar och satser, men utan att de själva förstår dem eller menar något med dem (liknelsen bygger på den ytliga konversationen vid cocktailpartyn).

Det här visar tydligt att formen ibland kommer före innehållet i den språkliga utvecklingen, och att barn med nedsättningar kan stanna vid den fas i utvecklingen när man bara härmar andra utan att förstå det man säger. Jag minns själv (antagligen eftersom det drog ned skrattsalvor) hur jag vid ett tillfälle i femårsåldern sa till mina föräldrar: ”Jag ska bara ta två sömntabletter så åker vi till landet.” Jag är helt säker på att jag inte menade något särskilt med det; jag bara konstruerade en me-

Barndomsord:
kalasbyxor
ettagluttare
blängsylta
lånbytas
sockiplast
tjejlöss
killbaciller
gosedjur
pyspunka
puttersmälla
fruktstund
luktsuddis

ning som jag tyckte lät vuxen och bra och som skulle vara intressant att pröva att säga. Bakom låg givetvis den starka drivkraften att härma, precis som man som barn lär sig tusentals andra saker genom att härma sin föräldrar och andra vuxna i beteende.

Hos somliga lever den här principen också i vuxen ålder. Vi har väl alla varit med om att folk kommer hem från någon kurs eller annat inspirerande sammanhang med ett nytt ord eller uttryck i bagaget. Och hur de sedan en tid kan strö det omkring sig, i var och varannan mening, utan att ens riktigt veta vad det betyder: ”kontext”, ”paradigm”, ”kod”, ”logistik” …

Barnet skapar själv sitt språk

Men bara härmandet skulle aldrig räcka till. Idag vet vi att det finns en helt annan drivkraft också. På sätt och vis är det rätt givet, för om vi bara var programmerade att härma skulle nog vårt språk bli väldigt osjälvständigt. Det är svårt att över huvud taget tänka sig någon språklig utveckling och förändring i en värld där språket förs vidare mellan generationerna bara genom härmning.

Den andra drivkraften är dock inte lika lätt att peka ut. Vi skulle med fina, teoretiska ord kunna prata om dynamik och kreativitet, men låt oss istället gå rakt på sak. Barnet uppfattar språket som något ofullständigt, som det själv måste vara med att skapa. Vi kan kalla det för medskapande. Det kanske låter flummigt, men är egentligen en helt avgörande punkt för det mänskliga intellektet. För barnet är språket ett ofullständigt bygge, som det själv är chef över.

Låt oss ta ett exempel. Barn uppfattas ofta som söta och oemotståndliga när de själva "hittar på" ord för olika saker. En flicka som inte kände till "pakethållare" kallade den anordningen för en "väsksättfast", en pojke talade om skinnet på kycklingen som "köttskal". Ur samma genre kan hämtas mängder av exempel, som "frysnoga" (frusen), "lamppigg" (så pass mornad att man får tända lampan).

Ur ett vuxet perspektiv uppfattas sådant barnspråk ofta som lika rörande som komiskt, därför att man tänker sig att barnen tror att det faktiskt heter så. Men se, det gör de inte alls. I själva verket är de inte ens intresserade av om det heter så eller inte, och ska inte heller vara det. *De är enbart intresserade av att bli förstådda, vilket är grunden till allt språk*. Och den går före all ytlig garnityr av rätt och fel och språklig konvenans. Barnet går efter den enkla grundprincipen: Om jag har någonting att säga, men inte vet vad det heter, måste jag själv hitta på något som omgivningen kommer att förstå. Om det ordet finns eller inte är inte det väsentliga, utan att jag ska bli förstådd.

Försök bara tänka er hur förödande det skulle vara i barnets språkutveckling om det inte vågade "göra fel". Föreställ er ett barn som misstrodde sig själv: "Jag vet vad jag vill säga för något, men eftersom jag inte är säker på ordet för det så är det bäst att jag håller mun." I själva språkinlärningen finns ingen plats för "rätt" eller "fel" i vår mening, det finns i själva verket bara ett slags fel: att inte bli förstådd. Därför visar också all forskning på att barn inte blir ett dugg bättre språkbrukare för att man rättar dem och säger: "Det heter inte 'skärde', du ska säga 'skar'."

Nu måste vi stanna upp ett ögonblick. "Vad är det här för dumheter", frågar sig vid det här laget en del läsare: "Ska man inte rätta barn när de säger fel? Hur sjutton ska de då lära sig prata ordentligt?" Ja, här underskattar ni barnen grovt – de har genom hela den mänskliga historien lärt sig prata ordentligt, de allra flesta både utan rättelser från vuxna eller ens skolundervisning.

I själva verket riskerar man faktiskt att göra barnet en björntjänst genom att rätta det. Om barnet sagt något som vi förstått så är det en framgång, något positivt, men som vi istället vänder till något negativt. Vi förstod precis vad det menade med "skärde", kommunikationen fungerade, men vi ger barnet signalen att kommunikationen var fel, fast vi förstod den. Det enda vi kan åstadkomma med det är att barnet småningom tappar tilltron till sin egen språkliga förmåga, och därmed i värsta fall riskerar att avstanna i utvecklingen.

Nödvändiga misstag

Barnet måste alltså våga göra fel. Försök se det ur barnets synvinkel. När barnet upptäcker språket är det som om det hittade ett helt nytt instrument för att styra omvärlden utifrån sin vilja. Försök föreställa dig att du själv sakta men säkert upptäckte en ny dimension, där du, på ett sätt som du inte tidigare haft en aning om, kan börja påverka människor och styra deras handlingar. Helt plötsligt skulle du kunna få människor att ge dig saker, utföra olika önskningar, lyda din vilja. Tänk dej själv, du skulle bli uppslukad av det och ägna oändliga mängder energi åt att försöka förfina dina kunskaper i systemet.

Precis i den situationen befinner sig barnet. Det har upptäckt att uttalandet av ett visst ord leder till att det får sin favoritmat, eller att det till exempel genom att säga ”nej” eller ”inte” kan påverka den som klär på kläderna, så att det slipper ha en stickig tröja som är plågsam. Alla såna erfarenheter ger barnet impulser att fortsätta att utveckla sitt språk, eftersom det här anar obegränsade möjligheter att driva igenom sin vilja. Och de möjligheterna måste givetvis prövas.

De första orden och erfarenheterna är enstaka och barnet ser inget egentligt system bakom dem. ”Mamma” är mamma och ”bulle” är runt, sött bröd, osv. Men så småningom börjar barnet märka vissa tendenser och upprepningar. Om man lägger till ett ”s” på ”mamma” (mammas) så betyder det att det är en sak som tillhör mamma, och samma sak händer med ”han” (hans) och ”Vera” (Veras). Här anar barnet ett system; ett ”s” på slutet betyder tillhörighet, och utgår då ifrån att det går att sätta ”s” på alla substantiv och pronomen, och kan då bekymmerslöst prata om ”hons jacka” eller ”doms bil”. I själva verket är det helt logiska former, och orsaken till att det inte heter så ligger långt tillbaka i språkhistorien.

Om barnet inte uppfattade språket som ett system, där man själv drar övergripande slutsatser och sedan kan fylla ut alla luckor som uppstår på vägen – ja, då skulle det aldrig komma någon vart. Det här är en grund i hela språkets idé. Utan den hade språken aldrig kunnat vare sig uppstå eller föras vidare.

Barnet testar sig framåt, och varje ord som det blir förstådd med är ett bra ord. Åtminstone tills vidare. Att de sedan inte fortsätter att använda ”doms”,

”väsksättfast” eller ”köttskal” livet igenom beror ju på att de snart får upp ögonen för att det finns andra uttryck för samma sak, som, milt uttryck, är mer allmänt kända och accepterade och som man därför har mycket större utsikter att bli förstådd med (i det här fallet ’deras’, ’pakethållare’ och ’skinn’).

Språket stelnar när man slutar att växa

Men en anledning till att människor talar så pass olika är att man går olika långt i sin personliga språkutveckling vad det gäller att anpassa sig efter de ord och uttal som man uppfattar som de mest accepterade. Och det handlar om vilka människor man använder som måttstock. Karriäristen i storstaden har inte samma norm som den som bor på landsbygden och mest umgås med sina grannar.

Egentligen handlar allt om en inlärningsprocess som pågår hela livet, men som är intensivast i barndomen. Människor fortsätter att lära sig nya ord livet igenom, och det händer att man ändrar sina uttal långt upp i vuxen ålder. Men för det mesta inträder inga drastiska förändringar efter puberteten. Som de flesta säkert vet har ju barn en enorm språklig anpassningsförmåga och kan exempelvis byta dialekt över ett sommarlov. När de kommer till ett nytt land kan de på några veckor lär sig grunden i ett helt nytt språk och börja förmedla sig med kompisar – resultat som en vuxen i samma situation med möda knappt skulle nå på flera år.

Högstadieord:
rökruta
mobboffer
matapa
mongo
kalsonggreppet
mupp
vrålhångla
långtradare
fingerpulla
cykelgäng
mul(l)a
tokvarva
hatobjekt

Flexibiliteten är alltså stor hos barnen, men någonstans i 12-15 årsåldern avtar den kraftigt och språket börjar stelna. Det verkar som att när människan är färdigväxt har också hennes språkliga identitet på något sätt blivit mer fast. Om man flyttar före puberteten så byter man i regel dialekt och anpassar sig efter den nya ortens, efter puberteten behåller man däremot i regel i stor utsträckning samma dialekt resten av livet, hur mycket man än flyttar.

Det här en tendens, den stämmer inte alltid – det finns viss individuell variation. Stockholmare tycks ha en högre benägenhet att behålla sin dialekt, även om de flyttar i 10-12 årsåldern, vilket säkert beror på att den kan uppfattas som ett högstatusspråk på olika håll i landet.

Men det finns ett mönster här, och det tycks också

gälla när man lär sig ett helt främmande språk. När jag var tio fick vi en ny flicka i klassen. Hon var från Polen och kunde inte ett ord svenska, men lärde sig snart prata flytande och var innan mellanstadiets slut bäst i klassen på vårt modersmål. Tendensen är densamma här; flyttar man före puberteten kan man lära sig ett språk perfekt, sker det senare i livet kommer man i regel aldrig att kunna dölja sin brytning eller accent.

Språkutvecklingen pågår alltså hela livet, men ens kapacitet till förnyelse är i vuxen ålder väldigt begränsad. Hur folk talar som vuxna handlar i stor utsträckning om hur långt de hade kommit i sin tal- och språkutveckling innan den någonstans i puberteten så att säga slog av motorn och började gå på sparlåga. Den omtalade sammanblandningen av kort ”u” och ”ö” kan exemplifiera detta (”Uppna funstret, göbbe!”). Distinktionen emellan de två ljuden hör till den finaste i svenskan, och är följaktligen bland det sista man lär sig i talutvecklingen. En del, särskilt bland arbetarklassen i storstäderna, fullbordar aldrig den här finputsningen, eftersom de uppenbarligen kan göra sig förstådda ändå.

Uttalet av ”Schweiz” är ett annat bra exempel. Att människor ofta vänder på det och säger ”sveitsch” har sina orsaker. Kombinationen ”sche”-ljud och sedan ”v” existerar inte annars i svenskan, och tenderar därför att uppfattas som komplicerad och oviktig, särskilt av barn. Det är av samma orsak som vi inte tycker att det är något allvarligare fel att säga ”sykolog” och ”salm” istället för ”psykolog” och ”psalm” (vi har inte ”p” före ”s” i svenskan, och tenderar därför att uppfatta ”p:et” som betydelselöst). Därför kastar man om ljuden i ordet så att de stämmer bättre med de uttalsmönster man är van vid (”sv” är en vanlig ordinledning i svenskan, ”sche”-ljud sist är också frekvent).

Nåväl, här kan vi konstatera att många svenskar aldrig som vuxna blir tillräckligt motiverade för att ändra sitt uttal, och börja uttala Schweiz korrekt (alla förstår precis vilket land de menar ändå). De här fenomenen uppehåller sig gärna kring lite speciella ord – det är ju inte så ofta man pratar om det nämnda alpriket. Och på samma sätt kan en del fortsätta att säga exempelvis ”ressigör” hela livet, förutsatt att de inte har allt för intima kontakter med film- och teatervärlden.

De här mekanismerna styr många uttals- och böjningsförändringar i vår språkhistoria. För några hundra år sedan hörde säkert former som ”hjälpte” och ”hjälpt” mest till barnspråket. Samma sak med ”simmade” och ”simmat”. Men successivt har de som behållit dessa ”logiska barnformer” blivit fler och fler, vilket gjort att böjningen ”sam, summit” börjat få en lätt högtidlig och föråldrad prägel. Eller är rent stendöda, som ”halp, hulpit”. Understundom kan man ibland idag höra vuxna människor säga ”strykte”, ”smörjde” och ”skärde” (”Jag har skärt upp tårtan” är inte helt ovanligt; formen finns för övrigt redan hos Bellman). Omgivningens bemötande blir här avgörande för om de blir motiverade att ändra sitt språk, eller om vi här ser de första tecknen på att ”strök”, ”smorde” och ”skar” kommer att kännas ålderdomligt inom några generationer.

Ur barnspråket, eller det ej färdigutvecklade språket, kommer alltså många uttal och ordformer som så småningom lyfts in i standardspråket. Även namn som Maja, Kerstin, Lisa har sin bakgrund i barnspråk (för Maria, Kristina, Elisabeth). Barns väg in i språket går ju hela tiden genom anpassningar till deras egen nivå och kompetens. Fungerar dessa former sedan också, när de som vuxna kommunicerar med andra, finns inte längre någon motivation att förändra dem.

Ord på -is:
dagis
gnuggis
doldis
fräckis
torris
filmis
fjärris
kondis
dekis
hemlis
proffsmjukis

Som vi sett är det i barndomen allt det viktiga händer, resten är sedan mest finputsning, komplettering och korrigering. Vid utgångspunkten är människans språkliga självförtroende makalöst. Det finns egentligen ingen begränsning för hennes kreativitet; hon är en omnipotent ingenjör som själv bygger sitt språk utan några som helst hämningar.

Efter hand kommer andra aspekter in. De sociala dimensionerna blir större, man bryr sig mer och mer om vad andra tycker och förväntar sig. Man mister mycket av den enorma kreativitet man en gång haft i sin iver att inte avvika för mycket från mängden. Därför blir man sämre och sämre på att uppdatera och förnya sitt språk.

Vi kan också se hur den sociokulturella utvecklingen genom historien tenderar att göra allt hårdare åtskillnader mellan vad som betraktas som barnsligt och som vuxet beteende. Lekar och sagor var länge allmän egendom för alla åldersgrupper, idag är det sådant vi tycker tillhör barndomen. Samma sak har hänt med gåtor, och under de allra sista generationerna med roliga historier. Det tycks vara en del i en pågående, västerländsk civilisationsprocess, som hela tiden flyttar fram positionerna och skapar strängare normer för vad det innebär att vara vuxen.

Om vi nu också börjar se på språklig kreativitet och nyskapande som något barnsligt, och inte generellt mänskligt, så är vi farligt ute. Att själv hitta på ord och fylla de språkliga luckor man möter i livet, för att på så vis göra sig förstådd av andra, kan av en del människor uppfattas som naivt. Särskilt om man ser på språket som något statiskt och för en gång fastlagt.

Men det är i så fall en naivitet vi måste acceptera och hylla. För i den ligger nyckeln till språkets utveckling. Risken med dagens språksyn ligger i att den mesta förnyelse som överhuvudtaget tillåts kommer "uppifrån", det vill säga från kommersiellt språk, media och myndigheter och är i stor utsträckning lånord. Förnyelsen av språket måste komma minst lika mycket "nerifrån" och "inifrån" människorna själva.

Dessutom behöver vi ständig "träning" för att hålla oss så flinka som möjligt med vårt redskap. Vad gäller nästan alla mänskliga kunskaper är just repetition och träning en grundläggande förutsättning. Den kunskap man får i barndomen går förlorad om man inte använder sig av den. På många sätt har naturen försäkrat sig om att vi aldrig ska riskera att "glömma", och då särskilt inte det som är allra viktigast för oss. Se bara på fortplantningen; varje fertil man bygger upp en erektion åtminstone 3-4 gånger per natt (därav fenomenet morgonstånd). Och på motsvarande sätt är det med kvinnans sekretutsöndring. Varför? Jo, för att "träna", helt enkelt. Naturen kan inte riskera att man glömmer bort hur man gör sig redo för fortplantning i händelse av att man kanske inte får tillfälle till utövning på flera år.

Självklart kommer det att få konsekvenser för vår framtid om vi i vår kultur motarbetar den övning som det innebär att hela tiden skapa nya ord. Vi kan se många exempel på att människor är sämre på och mer obenägna till det idag. För att ta ett enkelt exempel kan vi se på sammansättningar. I äldre svenska finns ett effektivt system för att ta bort överflödig information när man sätter ihop två ord. Ofta innebär det att den sista vokalen faller bort i det första ordet: det heter ”skollov” (inte ”skolalov”) och ”trappuppgång” (inte ”trappauppgång”). Efterhand har man märkt en större osäkerhet i att tillämpa denna princip. När det gäller sammansättningar till ”nyare” ord tycks den nästan helt vara borta: ”dramalärare”, ”villaträdgård”, ”fikapaus” ... ”Pizzabagare” skulle alltså med all säkerhet hetat ”pizzbagare” om det kommit till på 1700-talet. Det här förklarar också varför skolelever gärna säger ”svenskalärare” istället för ”svensklärare”, vilket den just nämnda yrkeskåren ofta brukar reta sig på. Ironiskt nog kan man ju här säga, att hade de och deras äldre kollegor varit mer insiktsfulla och stimulerat elevernas språkkreativitet – och drillat lite mindre pluskvamperfekt – så hade de säkert fått den övning som behövts för att förhindra fenomenet att uppkomma.

Den nyare varianten, med bevarad vokal, fungerar den också, men är något otympligare. Vi går så att säga och släpar på en stavelse helt i onödan – och det går emot hela människans natur att bete sig så oekonomiskt. När djur beter sig på liknade sätt brukar det ofta bero på störningar i deras naturliga livsbetingelser.

Tänk om vi successivt, om än nästan omärkligt, tappar alltmer av vår förmåga och blir språkligt impotenta. Gamla språk som latinet och hebreiskan, som hållits vid liv på litterär väg utan att utvecklas ”naturligt”, har mist mycket av sin förnyelseförmåga. Ska samma sak hända med svenskan?

Svenska begrepp:
gubbrock
tantsnusk
raggarbralla
gällivarehäng
ikeaväder
yuppienalle
fluortant
drulleförsäkring
finnmerca (Ford Taunus)

7

insegel och fyllgrejer

den stora

privatiseringen

Människan som privat och offentlig

Människor talar ofta om sitt privatliv och hur de är som privatpersoner. Som om hon kunde vara två olika personer – hon är givetvis en och samma hela tiden, men spelar olika roller. Det här är ett ganska ”nytt” fenomen, d v s folk i en mer ursprunglig kultur skulle inte förstå ett smack av vad vi menade. Men att skilja på människan som privat och offentlig varelse har varit en tongivande företeelse under de senaste århundradena. För att förstå det som händer i språket idag måste vi först betrakta detta fenomen.

Vad menas då med privat och offentlig? För somliga är det kanske självklart, men låt oss ändå skapa en definition. Och tänk nu bort alla associationer ni får till privat och offentlig sektor och annat trist. Det här handlar om nåt helt annat.

En enkel utgångspunkt: När en människa representerar sig själv är hon privat, när hon representerar någonting annat än sig själv, exempelvis ett företag, är hon inte längre privat (utan offentlig i någon form). Om du går in på Åhléns för att handla en pryl och ser ett biträde som är småberusat, som står och svär och muttrar för sig själv, då skulle du förmodligen reagera och tycka att det var märkligt. Men samma beteende från samma biträde sent en lördagsnatt i korvkioskkön skulle knappast väcka någon större uppmärksamhet. Varför det? Jo, för att vi har ett väl utvecklat system för att skilja på privat och offentligt i våra roller. Som biträde representerar personen givetvis Åhléns, när han är ledig på lördagskvällen bara sig själv. Därför bedöms sättet att bete sig som annorlunda. Lite hårddraget kan vi säga att om han är full och otrevlig på jobbet så är det inte han själv som är det, utan hela Åhléns.

Historiskt är hela företeelsen med att kunna ha en offentlig roll något som vuxit fram i vår kultur under de senaste århundradena. De mer ursprungliga mänskliga kulturerna känner som sagt inte till den, åtminstone inte på vårt sätt. Där representerar en människa sig själv, helt enkelt.

Men förstadiet till de offentliga rollerna finns redan i de ursprungliga kulturerna. Om en person representerar sin stam och förhandlar med en annan stam har han en mer offentlig roll än annars, även om han inte på vårt vis skulle försöka lägga band på sina mer privata sidor. På samma sätt kan man säga att en medicinman eller schaman går ifrån sitt privata jag och representerar någonting annat när han utövar sina sysslor.

I sig själv är alltså människan privat, allt annat är rollspel. Ju mer människor har med varandra att göra, ju mer avancerat samhället är och kommunikationen utvecklats, desto oftare får folk spela roller där de inte är sig själva. En självägande, arbetande bonde i Sverige på 1600-talet representerade sig själv 99% av tiden. Bara i vissa specifika fall kunde han tänkas representera någonting annat, exempelvis sin by, socken eller böndernas stånd om han deltog i en riksdag.

Under många århundraden ökade alltså skillnaderna mellan människans privatliv och hennes offentliga värld. Åtskillnaden blev större och fler och fler människor blev indragna i den. Men så är det inte längre. 1900-talet blev det århundrade när man istället successivt började gå åt andra hållet, och sudda ut allt fler gränser mellan det privata och det offentliga i människans värld.

Man talar ofta om 1800-talets andra hälft (den viktorianska tiden, med en engelsk benämning) som ett slags höjdpunkt för en stel och konstlad syn på människan, full av förträngningar och förnekanden. Egentligen skulle man kunna säga att föreställningen om människans offentliga roll då vuxit sig så stark inom vissa samhällslager, att man helst ville förtränga att människan hade en privat sida också. Allt som rörde privatlivet – sexualitet och liknande – tystades ner, man blundade och blygdes inför det och skaffade längre, nedhängande dukar så att inte bordsbenen skulle ge frestande associationer.

På det viset stod föreställningen om den tudelade människan på topp vid ingången till 1900-talet, även om stora delar av de fattigare befolkningslagren fortfarande levde ganska obekymrade om sådant. Men den officiella världen hade utvecklat massor av etikett, regler och förhållningssätt som skulle hjälpa till att undanhålla människors privata sidor.

Vi blir allt privatare

Undan för undan har under 1900-talet mängder av företeelser försvunnit, sådant som egentligen mest haft till uppgift att hjälpa folk att skilja på det privata och offentliga. Det är en 1900-talsföreteelse i allmänhet, men den har sin tyngdpunkt under efterkrigstiden med sina allra viktigaste landvinningar på 1960- och 70-talet, under du-reformens och den politiska samhällsomstörningens dagar.

Låt oss ta exempel. Inom många yrkesgrupper har man lagt av sig uniformen; vi kan idag möta chaufförer, läkare, biträden, bar- och serveringspersonal och bud som uppträder i samma kläder som de har privat. Vi uttrycker allt mindre av den här attityden, även om det också finns nystartade kedjor som använder uniform efter mer amerikanskt mönster.

Om man tittar på en bild av en svensk regering på 30-talet så ser man en bunt mycket allvarliga herrar med mörk rock och hög hatt. Deras ansvarsfulla roll avspeglar sig i deras kläder. En motsvarande bild på Göran Perssons regering skulle kunna föreställa vilka privatpersoner som helst. Det kunde lika gärna vara personalen på ett byggvaruhus eller en alkoholistanstalt på utflykt. Förändringen avspeglar att politiker idag i stor utsträckning framträder som privatpersoner. Tidigare visade politikern, liksom de flesta andra ledande personer i samhället, bara sin offentliga sida – deras privatliv var dolt för allmänheten. Vi kan se hur detta successivt luckrats upp. När Per-Albin Hansson öppnade för pressen i morgonrock på en födelsedag så var det uppseendeväckande eftersom människor fick en glimt av honom som privatperson. När Tage Erlander några decennier senare började berätta roliga historier i *Hylands Hörna*, och därmed uppträdde som vilken privatperson som helst, så var det ett stort steg i riktning mot att frångå

Svenska personlighetstyper:

fartdåren

flumbullen

manslukerskan

stridspitten

progghäxan

häradsbetäckaren

festprissen

gratängkärringen

prylbögen

popsnöret

den strikt offentliga rollen. Vilket inte gjorde honom mindre populär.

Idag kan man se människor i reklamfilmer och på offentliga barer halsa, något som hade varit otänkbart bara för några årtionden sedan. De flesta typer av klädtvång är också borta – i sådan privatstass som jeans, gympadojor eller träningsoverall kommer man in nästan överallt. Likaså använder vi idag förnamn i en utsträckning som hade varit främmande bara en generation tillbaka. Då det förr var vanligt att presentera sig med efternamn används dessa av yngre nu bara vid högtidligare sammanhang. Jag har också märkt att man bland unga ytterst sällan lämnar sitt efternamn vid reservationer och taxibeställningar – man använder bara förnamnet.

En önskan att komma bort från det stela och alltför formella drev också på du-reformen. Denna hade i sin tur föregåtts av en nu tämligen bortglömd nireform redan på 1910-talet; ett försök att förenkla i den besvärliga djungeln av titlar, vilket ansågs djärvt av samtiden. Min farfar, som var en grosshandlare av den gamla stammen, accepterade inte denna. Han tyckte att det var oartigt med ”det förbannade niandet” och skulle bli tilltalad som direktör Lindström, såvida det inte var inom familjen då man kunde få säga farbror Nils (något ”du” fanns givetvis inte ens på kartan, inte ens för de egna barnen).

Men under seklets gång blev titlar allt oviktigare. I min barndom var det legio att folk hade sin yrkestitel i telefonkatalogen, men så är det knappast längre. Det finns fortfarande många direktörer och ingenjörer i Sverige, men hur många använder de titlarna i sitt privatliv? Och min dotter får inga brev eller kort med titeln "stud.", som jag fick av mina äldre släktingar i min barndom.

Vi gör det mysigt på kontoret

Vi talar idag om privata saker, privatliv, privata affärer, osv, och menar då sådant som en enskild människa kan hålla för sig själv, utan att det övriga samhället egentligen har någon insyn. Att vi använder sådana ord och begrepp skvallrar en hel del om hur vi ser på oss själva.

Utifrån detta kan vi säga att ju mer vi använder ordet "privat", desto tydligare tecken är det på att vi i grunden uppfattar oss som huvudsakligen offentliga – d v s att vi ska spela en roll inför andra. Att vara privat är undantaget, det som måste markeras.

Nu kan man invända att det styrs av situationerna: när människor jobbar, håller föredrag, sitter i TV, så vet vi att de är i en offentlig situation. Och privatlivet är en stor del av en människas liv, inte alls något litet undantag. Men vi kan inte komma ifrån att vi mer och mer tar vår utgångspunkt i det yttre rollspelet.

Och det är väl också därför som vår kultur genomgår denna stora ”privatisering”. Om vi uppfattar det som att vi måste leva i en offentlig värld, så försöker vi att ta in så mycket av avspänt beteende från privatlivet som det bara går för att göra det behagligare för oss. Vi är helt enkelt som en människa som fått anställning på ett kalt och trist kontor (den offentliga världen) och eftersom vi allt mer börjar uppfatta det som vårt hem så försöker vi göra det lite trevligare genom att ta dit blommor, tavlor, mattor, radio, tidningar och andra privatsaker hemifrån. Vi uppfattar oss som en del av det offentliga och vi försöker göra det offentliga privatare för att stå ut. Låt oss se hur den utvecklingen går igen i språket.

Tendenserna på 1900-talet

Sammansmältningen mellan privat och offentligt språk är utan tvekan den helt dominerande tendensen i svenskans utveckling på 1900-talet. Och lustigt nog går den i båda riktningarna samtidigt: vi skriver mer som vi talar, och vi talar mer som vi skriver.

På mängder av områden kan vi se exempel på hur gränserna mellan det privata och offentliga språket har luckrats upp. Nästan komiskt tydligt blir det om vi tittar på språket i långfilmer och journalfilmer från 1930-, 40- och 50-talen. Oavsett om det är Sven Jerring som refererar Barnens dag på Skansen, pilsnerfilmsskådisar eller Bergmans drillade aktörer, så har de en artikulation som är fullkomligt främmande för oss och deras nutida kollegor. De talar på ett stelt och onaturligt sätt, med ”tyska”, högt spända ”a”-ljud: ”Ahh, snälla fröken, kan inte jag få gå ut med er ikväll? – Nej, då får allt kandidaten lov att fråga min far först!”

Många tror idag att så pratade folk förr i världen. Men se det gjorde de inte alls, i alla fall inte gemene man och knappast skådespelarna heller till vardags (möjligen undantaget Georg Rydeberg och någon mer). Det här var ett speciellt uttal som hade odlats fram just för att vara ett offentligt, sceniskt språk. Det verkar ha haft sin uppkomst på teatern, där man var tvungen att tala i ett spänt röstläge och artikulera mycket noggrant för att publiken skulle höra allting. Det speciella ”a”-ljudet lär ha utvecklats just för att höras bättre till de bakersta bänkraderna. Det sedvanliga svenska är lägre och mycket dovare.

Och att man pratade såhär i en massa offentliga sammanhang – film, radio, med mera – var inte bara slentrian från skådespelarens teaterutbildning. Man tyckte att människor som visade upp sig i offentliga sammanhang skulle prata ett bättre och högre språk än vad folk i allmänhet gjorde. Vår föreställning, att såna aktörer ska prata ungefär som vi själva gör, så att vi känner igen oss, den är ett resultat av en förändrad syn på hela film- och teaterkonstarten som kom huvudsakligen på 1960-talet. Det var då man på allvar blev intresserad av realism, att försöka visa människan sådan som hon *är*, och inte en tillrättalagd version (som man vill att hon *ska vara*).

Svenska tillmälen:
träskalle
klantarsel
ärthjärna
skitstövel
apskaft
stolpskott
dyngkuk
emmel
rugguggla

Successivt har sedan den gamla SF-svenskan försvunnit under de efterföljande årtiondena. Man kan alltjämt höra spår av den hos äldre skådespelare, eller trotjänare inom media som Arne Weise. Fortfarande har också nyhetsuppläsare och programpresentatörer i radio och TV ett något mer korrekt språk än gemene man, men man kan inte påstå att det är i något slags uppfostrande syfte, utan mest enligt principen att det ska vara neutralt och begripligt.

Idealen har alltså förändrats. Det är också därför bibelöversättningen från 1917 snabbt blev så föråldrad (en del påstår elakt att den var föråldrad redan när den kom). Bibel 2000 avspeglar inte bara språkutvecklingen på drygt 80 år utan minst lika mycket förändrade värderingar. Idag ville man göra en översättning på det språk som folk själva talar – det hade man i ärlighetens namn knappt tänkt 1917. Språket skulle då visserligen gärna vara begripligt, men ceremoniellt, andaktsfullt och patriarkaliskt uppfostrande. Det var inte så att människor på den tiden i någon utsträckning gick omkring och sa ”begabba”, ”hugsvala”, ”grift” eller ”insegel”, utan orden tillhörde den högre ålderdomliga stil som ansågs lämplig. 1900-talets stora förändringar kan alltså avspegla sig i språket, även om de allra mest försiggått på det mentala planet.

Om vi ser till skriftspråket så har det under de sista hundra åren tagit in mycket talspråk. På liknande sätt har många ordformer från talspråket segrat och blivit standard under 1900-talet: ”ta” för ’taga’, ”ska” för ’skall’, ”bli” för ’bliva’, ”ha” för ’hava’, ”ge” för ’giva’, ”er” för ’eder’, ”finns” för ’finnes’. Många föreställer sig att dessa skriftformer också uttalades, men knappast så annat än i mycket högtidliga och officiella sammanhang – lika lite uttalades ”f” i ”öfre” eller ”Gustaf”, eller ”h” i ”hvarandra” och ”hvit”, det var bara en stavningsnorm (i bägge fallen uttalades ”v” såsom det gör idag).

Alla de ovan exemplifierade ordformerna är sådana som varit de vanliga i talad svenska åtminstone sedan 1600-talet. Precis som när det gäller förändringarna av språket inom film, TV och teater så har nya konstnärliga ideal spelat en viktig roll. Det är knappast någon tillfällighet att det i många stycken är författarna som kommer fram på 1920-30-talet som börjar etablera former av det här slaget. I den generationen återfinns Karin Boye och Gunnar Ekelöf, vilka bägge var pionjärer när de gällde att använda den talspråkliga böjningen av verben i skrift. Den gamla flertalsböjningen ("jag gick" men "vi gingo", "han stod" men "de stodo") försvann sedan under årtiondena kring 1900-talets mitt. Vi kan idag vara glada att denna reform kom till stånd – med det massiva inflytande som skriften fått över talet på senare årtionden hade det väl annars varit hög risk att folk idag börjat säga "vi drogo vidare" eller "de blevo sjuka". Och därmed hade man i sin iver att prata korrekt återupptagit en böjning som i talspråket varit stendöd i många århundraden (en del dialekter i södra Sverige undantaget).

Som jag tidigare nämnde har talspråket en mycket enklare meningsbyggnad än det traditionella skriftspråket. Den skrivna svenskan har under det senaste århundradet i alla avseenden närmat sig denna enkelhet. Det var inte ovanligt att meningar i fack- och tidningstext på 1800-talet kunde ha över hundra ord och mer än fem satser. I inledningen till *Röda rummet* finns en mening innehållande 134 ord i 17 satser – och den är på intet sätt exceptionell för Strindberg! Men i skriven svenska efter 1950 saknas alla sådana tendenser. Antalet satser är som högst tre-fyra, men oftast bara en eller två, antalet ord i en mening överstiger ytterst sällan femtio.

Strindberg-ord:
bortnast
maxa
daskig
barnskap (graviditet)
skymla
jolta
urspårad (om person)
idealistluder
kardus
törhända
ordalek
nattkvisten

På det sättet har skriften gett upp lite av sin egenart, för att istället närma sig talspråkets kortare meningar och rakare meningsbyggnad. Samma trend går igen när ”inte” och ”bara” nästan helt slagit ut sina mer högspråkliga synonymer ”icke” och ”ej”, respektive ”endast” och ”blott”. För hundra år sedan var de senare formerna vanligast i all form av skriftspråk. Man sa ”inte” och ”bara”, men man skrev dem inte gärna – det var talspråkets former. Fortfarande i 1917 års bibelöversättning förekommer de bara undantagsvis. Idag är de helt dominerande, ”ej” och ”endast” används fortfarande då och då, oftast när man behöver variera med synonym. ”Icke” och ”blott” känns direkt föråldrade.

Ur privatspråket kommer många ord som idag alltmer börjar få en neutral status. Det är en naturlig utveckling, som jag har skisserat orsakerna till ovan. Vi kan idag se mängder av exempel på hur vardagsord lyfts upp och får offentlig status genom att användas i exempelvis nyhetsspråk.

Ur nyhetstext i dagstidningar från de senaste åren har jag hämtat: ”körd” (dum, hopplös), ”bränna” (göra av med pengar), ”macka”, ”flyt”, ”schizad” (schizofren eller dylikt), ”kulor (pengar). Det handlar här om olika slangartade förnyelser i språket som börjar få normalstatus, precis som ”tjej”, ”kille”, ”kul”, ”fixa”, ”ragga”, med flera, redan fått.

I en DN-rubrik detta år används ”fyllgrej” (Brott eller fyllgrej?), något som varit otänkbart tidigare. Även ”full” används istället för tidigare ”onykter” i samma tidning, också det ett trendbrott. I Expressen förekommer samma år ”spy” i en rubrik. Här handlar det inte om slang och nybildningar som slagit igenom, utan om ord som levt i talspråket i århundraden, men som tidigare aldrig släppts in i offentlig text. Dessa former bör ha varit de normala redan på medeltiden: den lärde munken Peder Månsson använder i sin *Bondakonst* från sent 1400-tal genomgående formerna ”skita”, ”pissa”, ”spy”. Det är under senare århundraden som man börjat omskriva dessa synnerligen privata, kroppsliga yttringar för att göra dem mindre påtagliga (”vomera”, ”kasta upp”, ”kasta vatten”, ”urinera”, ”göra sina behov”, ”sköta magen”).

På samma sätt är det med de sexuella beteckningarna, som fått sitt genombrott i media, allra tydligast under förra decenniet. Ord som ”kuk”, ”fitta” och ”knulla” har varit normala i det privata ordförrådet, åtminstone sedan senmedeltiden (innan dess har vi nästan inga källor, men orden är förmodligen mycket äldre). De har använts av alla sorters människor genom historien, likväl av kungar, präster och andra högt uppsatta – men bara i privata sammanhang, inte i det offentliga.

Det moderna samhället har alltså börjat acceptera ord som tidigare inte haft tillträde till språkets finrum – skriften! Att SAOL tog med många av dem i 1986 års upplaga hade säkert betydelse, men kan lika gärna ses som en eftergift för att de redan börjat bli allt vanligare. Ändå är det radikalt. För äldre svenskar måste det vara förbluffande att man kan sälja en bok med ett namn som *Fittstim*. Bara en generation tillbaka hade det varit lika delar moraliskt

Ord för kroppsdel, frisyr m m:

adamsäpple
hockeyfrissa
snorbroms
ridbyxlår
amorbåge
päronstjärt
stockholmslugg
potatisnäsa
kalaskula
lårkaka

upprörande och ett skrattretande, kommersiellt självmord. På samma sätt måste det för många vara hårdsmält när ord som ”rövknullad” och ”avsugning” förekommer oförblommerat i skrift nuförtiden. Allt sådant har tidigare varit hänvisat till språkets privata bakgård, och förändringen har gått nästan halsbrytande snabbt.

Därmed får vi ytterligare exempel på hur vi håller på att sudda ut gränserna mellan sådant som tidigare varit hårt åtskilt. Som vi sett lånar vi in privata beteenden i den offentliga världen för att göra den hemtamare. Visst finns det fortfarande stilskillnader, och många runda eller vardagliga ord hålls ännu utanför i flertalet sammanhang, men tendensen är tydlig. Hur länge den ska hålla i sig, eller hur långt den tänker gå, det vet ingen.

Den omvända trenden – läsuttalen

I början av 1900-talet kunde talspråk i olika dialektala former aktivt motarbetas från statens och skolans sida. Somliga pratade klarspråk och ville utrota dialekterna, andra talade en smula mer inlindat om ”röst-” och ”uttalshygien”, eller om att i skolan åtgärda sådana dialektdrag som är ”ur fysiologisk synpunkt betänkliga, i det att de medverkar till uppkomsten av onaturliga spänningar i talorganen" (givetvis såväl lögn som ren idioti).

Men dessa värderingar råder inte alls längre från statens och skolans sida. Sedan många årtionden tillbaka är man fullt på det klara med individens rätt till sitt eget talspråk. Detsamma gäller den professionella språkvården, som dock ofta har svårt att nå ut tillräckligt med sin oftast liberala ståndpunkt.

Nej, idag är det istället privatpersoner som adopterat den förlegade synen på talspråket, liksom det tycks vara vi enskilda som medvetet eller omedvetet fördömer olika talspråksdrag genom att med all tydlighet sträva bort ifrån dem.

Svenskarnas uttalsvanor går nästan bara i en enda riktning: orden uttalas alltmer som de stavas. Vi har redan sett flera exempel på detta. Det blir allt vanligare att man säger exempelvis huset (istället för "huse"), trevlig ("trevli"), röd ("rö"), kallade ("kalla"), barnen ("barna"), till ("te") och flickor ("flicker"). Bland de yngsta kan man nu ofta höra extremt skriftspråkliga uttal som "jag" och "är" (tidigare endast "ja" och "ä") även i de mest vardagliga sammanhang.

Förklaringarna är givetvis flera. Det bör ju t ex framhållas att kontakten med skrivet språk blivit allt större för varje generation. Dessutom visar alla undersökningar att vi samtalar allt mindre. Den genomsnittlige föräldern samtalar med sitt barn endast åtta minuter om dagen, vilket visar på en drastisk minskning de senaste femtio åren. En stor del av det talade språk vi idag möter kommer från TV och annan media (och är alltså mer eller mindre offentligt).

Jag har också redan tidigare nämnt avsaknaden av en genomtänkt språkpolitik i Sverige – om de gamla uttalsvanorna hade normaliserats och avspeglats i en förändrad stavning hade utvecklingen inte kunnat ske. Men många av de nyckfulla beslut som tidigare tagits kring ordens stavning har idag blivit utslagsgivande. Hade man fått igenom stavningar som ”probläm”, ”systäm”, ”ärkänna” och ”ärhålla”, vilka föreslogs i slutet av 1800-talet, så hade dagens uttal med ”e” aldrig uppkommit. Hade vi behållit den äldre stavningen ”stadna” (”stanna”) så hade det idag med all säkerhet också kommit att uttalas så (jämför med ”rodna” som förr allmänt uttalades ”rånna”).

Gårdagens inkonsekventa stavningsregler blev absolut inte uppsatta med tanke på att vi skulle börja följa de i vårt uttal. Att vi skriver ”kallade” (och inte ”kalla”) är väl mest för att man i skrift ska kunna skilja dem från den likalydande infinitivformen. Annars har vi regel anpassat stavningen och tagit bort en sådan bortfallen ändelse: ”förklä” (förkläde), ”farstu” (förstuga), ”huckle” (huvudkläde).

Vi har dock ännu inte fått något absolut förhållande mellan uttal och skrift; vi har fortfarande många ord som skulle te sig närmast absurda att uttala helt bokstavstroget – se på ”fyrtio”, ”samlag”, ”ljus”, ”stjärt”, ”Guds”, ”till havs”, ”riksdag” och ”dagsnyheter”. Men det är ingen tvekan om att hela tendensen handlar om att vi försöker anpassa oss efter vad vi uppfattar som en offentlig norm. Det är väl därför ord som är typiskt privatspråkliga, och sällan används i den offentliga normen, oftare lättare behåller sina traditionella uttal, såsom midsommar (”misommar”) och matsäck (”massäck”).

Men mycket tyder på att det är en osäkerhet inför den offentliga normen, och inte minst då det faktum att alla undersökningar visar att det är välutbildade kvinnor i yngre medelåldern som går i bräschen för läsuttalen. Kanske kan man se en del av förklaringen i att denna grupp, som tidigare i historien ofta var hemmafruar, nu under 1900-talets andra hälft så att säga blivit inbjudna med armbågen i en offentlig yrkesvärld som tidigare varit helt dominerad av män och deras värderingar. Det måste naturligtvis föra med sig en hel del osäkerhet kring hur man ska hävda sig där, och man måste kanske ta till nästan alla till buds stående medel för att försöka bli accepterad.

En allmän osäkerhet mellan privat och offentlig roll måste också ha gjort sitt till. Bland skådespelare talar man ofta om att man tar den andras tonläge eller temperament. Det innebär att om två skådespelare spelar mot varandra, och den ena har ett aggressivt, högljutt spel så blir hans motspelare också lätt aggressiv och högljudd, även om han/hon egentligen ska vara lågmäld. Det anses som tecken på att man är skicklig om man fullständigt kan ignorera den andras tonfall, och spela helt i sitt eget temperament. För en vanlig människa, i hennes vardagliga rollspel, är det oftast helt ogörligt. När hon går på posten har hon egentligen ingen anledning att vara någon annan än sitt privata jag, men när hon möter postkassörskan (som inte får vara sitt privata jag, eftersom hon representerar Posten) är det lätt att hon dras med i det mer offentliga rollspelet.

Egentligen får människor bete sig lite som de vill (inom vissa gränser) på Posten, i affären, hos myndigheter, osv. De representerar sig själva och sina privata behov, inget annat. Men eftersom de oftast uppfattar att den offentliga personen bestämmer var ribban ska ligga så anpassar de sig därefter.

Läsuttalen sprider sig alltså antagligen mycket ifrån offentliga eller semioffentliga situationer alltmer ner i privatlivet. Det intressanta är väl dock att när en människa övergår från att säga ”rammlösa” till ”ramlösa”, som många svenskar gjort de senaste decennierna, så måste man göra den bedömningen att det talspråkliga uttalet man hört tidigare från exempelvis föräldrar och andra berodde på att de var felinformerade eller ”slarvade”. En sådan slutsats är kanske inte så häpnadsväckande när det gäller kulturprodukter som ovan nämnda, men vittnar om en tung misstro när det gäller mer centrala ord i språket: ”Min mamma har alltid sagt ’ja’ och ’go’ men det stavas ju ’jag’ och ’god’, så hon måste ju gjort fel hela tiden eftersom hon inte förstod, kraken.”

När det gäller det svenska uttalet finns det egentligen bara en enda företeelse som bryter mönstren: de anglosaxiska lånorden. Trenden går där i en helt annan riktning, de uttalas ingalunda mer och mer efter skriften, utan istället alltmer efter de engelska uttalsreglerna. Att det handlar om en amerikanisering är ingen tvekan. Alla andra lånord, t ex de franska, följer med den övriga trenden och uttalas mer och mer efter bokstaven (de är lätträknade idag som säger ”ågusti”, ’augusti’, eller ”refysch”, ’refug’).

När engelska lånord kom in före eller kring 1900 fick de fortfarande ofta ett mer anpassat, försvenskat uttal. Det heter räls (*eng* ”rails”), kex (*eng* ”cakes”), blazer (*eng* ”blazer”) och keps (*eng* ”capes”) med en förenkling av den engelska dubbelvokalen (diftongen). Jämför också med den svenska formen av det engelska ”baby” – ’bebis’, eller ’bäbis’. Senare inlån som ”strejk”, ”bacon” och ”grapefrukt” har dubbelvokalen bevarad. I vissa dialekter finns dock former som ”sträk” belagda. En sådan försvenskning ter sig orimlig idag; vi skulle då uttala till exempel "aids" försvenskat som "ädds", eller något liknande.

Tendensen är med andra ord tydlig: lånorden behåller sitt eget uttal och anpassas allt mindre till svenska uttalsregler. Det är också uppenbart att det massiva engelska inflytandet i kombination med att engelska blivit förstaspråk i skolan gynnat engelska uttal av lånord på bekostnad av mer försvenskade. I de yngre generationerna har det alltså blivit vanligt att uttala ord som cornflakes, sandwich, bacon och cocktail enligt de engelska uttalsreglerna ("kornflejks", "sändwitsch", osv). Själv tillhör jag en mellangeneration i detta fallet, och från min uppväxt i Eskilstuna är jag van att säga "kornfleks", omväxlande "kocktel" och "kocktejl", men skulle aldrig säga annat än "bäjkån" om bacon (absolut inte "bäkon"). Hemstadens begivenhet speedway uttalades för övrigt "spidvaj", som synes engelskt uttal i förledet och svenskt i efterledet.

Om man uttalar ord som kex, kiwi och kidnappa enligt svenska regler, alltså med tje-ljud, uppfattas det idag som åtminstone regionalt uttal, i värsta fall rent löjeväckande. I äldre inlån uttalas "k" före "i", "y", "e" och "ö" såsom det gör i alla gamla, svenska ord, nämligen som tje-ljud (kiosk, kilo, kyrka). Sådana här företeelser kan vi ta otaliga exempel på. Alltsammans visar på den enorma, närmast löjliga respekten vi har för det engelska (amerikanska) språket i vår kultur. Samma krafter ligger bakom att unga svenskar till och med ofta uttalar ”euro” i nya sammansättningar med engelskt uttal (”joro”) istället för svenskt. På samma sätt har förkortningen ”att” (”attesteras”) av yngre kommit att utläsas ”attention”.

8

manualer och avokadosar

om lånord

Svenskan flödar idag nästan över av engelska lånord, och det gör en del människor oroliga. Är det farligt att låna in ord från andra språk? Som språkvetare ska man alltid svara nej på den frågan. Man ska säga att det går så bra, för vi har lånat massor från latinet, tyskan och franskan genom århundradena och det har inte försämrat vårt språk. En del menar till och med att det är utmärkt; ju fler ord som vi delar med engelskan, desto lättare kan vi klara oss internationellt.

Om man har en restriktiv inställning till att ta in främmande ord i svenskan, så kan det lätt uppfattas som osunt och nationalistiskt. Debatten har pågått i flera århundraden i Sverige, och den har inte precis underlättats av att en och annan stuckit ut hakan och stollat sig utan att ha ett dugg på fötterna. Tegnér ville till exempel tvätta bort allt ”främmande smink” (läs: lånord) från svenskan, som han utnämnde till ”Ärans och hjältarnas språk!”. Det komiska är att han inte hade en aning om vad han pratade om, eftersom såväl ”ära” och ”hjälte” som ”språk” är lånord (från tyskan).

Och man kan verkligen ifrågasätta hela idén med att rensa ut ord som hunnit etablera sig i språket, bara för att de har en annan härstamning. Ordet "ansikte" är inte ett dugg sämre för att det egentligen är tyskt, det fungerar precis lika bra som det äldre svenska "anlete". Språket är i många avseenden en fri marknad, och det är bara att konstatera att t ex det tyska ordet "språk" haft större framgång på den marknaden än det inhemska "tungomål".

Nej, den kritiska aspekten på lånorden kan ligga på helt andra nivåer. Till exempel den demokratiska. Idag måste man ha hyfsade kunskaper i engelska för att kunna tillgodogöra sig innehållet i en vanlig svensk dagstidning. En stor del av den äldre svenska befolkningen har inga eller endast mycket dåliga kunskaper i engelska (engelska var andra eller tredje utländska språk i skolan tills efter andra världskriget; många pensionärer har alltså aldrig över huvud taget studerat språket). Det lägger givetvis ingen bra grund för rättvisa.

Sedan kan det finnas ett visst problem med att få främmande ord att fungera i den svenska grammatiken, något som alla känner till som försökt böja "avokado" i bestämd form – heter det "avokadosarna"? "Avokadona"? "Avokadoerna"? Vi kan knappast vänta oss att vi ska hitta på ett eget ord för en så exotisk frukt, men när det gäller många andra svårböjda ord har vi större valmöjligheter. ”Ledarskap” är betydligt enklare att böja än ”management”, samma sak med ”formgivare” kontra ”designer”.

Men ur övrig språklig synpunkt existerar det alltså inget farligt i att låna. Det farliga ligger i det vi *inte* gör när vi lånar, nämligen skapar nya ord och uttryck själva.

Varför lånar vi så mycket?

Självfallet finns det områden där man behöver internationell terminologi, men de är ändå begränsade. Att folk slänger sig med så mycket engelskt språkgods idag har sällan med några sådana vällovliga syften att göra. Det handlar ofta om fåfänga, osäkerhet, slentrian och ibland till och med ren okunskap.

Fåfängan ligger bakom att man snyltar på den internationella status som ett engelskt ord alltid har. Människor kan vilja framstå beresta, internationellt kompetenta och allmänt världsvana. Och eftersom vi, av osäkerhet, bemöter nästan alla sådana inslag som något positivt i Sverige, och ser det lokala, inhemska som torftigt så kan en sådan taktik ofta löna sig. Det märks allra mest när det gäller företagsnamn och yrkesbeteckningar – ”established” och ”controller” ger sken av mer internationella, spännande kontakter än vad ”etablerad” och ”styrekonom” gör.

Näringslivsspråk:
uppstartsfas
branschglidning
spjutspetskompetens
framkant
pitcha
riskkapitalist
coacha
skattetryck
stämma av
casual Friday

Självklart kommer dagens överdrivna flöde av engelska lånord se skrattretande och löjligt ut i framtiden. Precis som vi ler åt all franskan i 1700-talssvenskan kommer vi att göra det åt en del av dagens lånord. Glädjande nog kan man se vissa tendenser redan idag; butiksnamn som Rimbo Leasure Center och Stockholm Quality Outlet uppfattas av många som rätt fåniga, och det officiella namnet Stockholm Water Festival användes naturligt nog aldrig av gemene man, man talade istället om (eller oftare klagade på) Vattenfestivalen.

Även i människors talspråk märks denna tendens. Att ideligen strö ”cosy”, ”nice” och ”fucking amazing” omkring sig skapar lätt ett stänk av billigt epaggande, liksom ett överdrivet bruk av ord som ”business”, ”brand value” och ”sales management” i affärsvärlden raskt kan ge intrycket av en misslyckad skrivbordsseglare.

Osäkerheten är också en viktig faktor. Man är inte säker på vad motsvarigheten heter på svenska, och därför använder man det utländska ordet. Och om det visar sig finnas en lucka i svenskan just där är det mycket få som ens skulle komma på tanken att försöka fylla den. Jag hörde en högt uppsatt bankchef bli tillfrågad om alla engelska termer han använde var nödvändiga. Han hävdade då att han letat efter inhemska synonymer, men att de saknades. Att han själv inte bara kunde, utan ju egentligen *borde* försöka översätta, skapa nya termer och lansera dem tycktes inte ha slagit honom.

Och det är kanske inte undra på. Den offentliga och synnerligen skärskådande värld som omger många av de nya begreppen inom exempelvis affärsvärlden gynnar ju inte direkt en spontan ordbildning. Den fria konkurrenssituation där var och en själv försöker översätta en term och denna sedan får tävla ett tag tills folkets favorit avgår med segern, den tycks aldrig uppkomma. Den förutsättningen skulle gynna språket, men den krassa, ekonomiska realiteten har inte tid och plats för ett sådant stöpande.

IT-språk:
chatta
internetmissbrukare
rövprogrammering
gränssnitt
multitaska
datakoma
hänga sig
fyllehacka
skärmsläckarläge
e-postbombning

När nya företeelser, saker och begrepp, som hör till olika fackområden kommer in, finns problemet att ingen kanske har ansvar för att översätta, och gemene man inte har tillräcklig koll på vad den nya grejen innebär och innefattar för att tillverka en bra term. Det gäller dock begränsade sektorer, och där det ska kunna finnas specialister på varje område – men det är viktigt att folk inom branschen, som behärskar och förstår uttrycken inte bara inser att de får översätta och skapa svenska motsvarigheter, utan att de också känner sig direkt manade till det.

Mycket av den språkliga utvecklingen styrs idag av media; besluten där blir ofta avgörande och om de präglas av osäkerhet, okunnighet och lättja så blir det utslagsgivande. Deras intressen är i första hand kommersiella, inte kommunikativa.

Några av svenskans vackraste ord:

rodna

förliden

understundom

kvällssol

sällsam

vårdagjämning

svalka

vemod

afton

midvinter

len

Att man exempelvis inte vågat eller bemödat sig att översätta, och verkligen utmanat, sådana riktiga upplägg som ”refill” (”påfyll”, eller varför inte ”fyllpå”) och ”releaseparty” (”släppfest”) är ju närmast osannolikt slött och fantasilöst. Vi skulle av mängder av anledningar behöva skapa en stämning där det betraktades som någonting högtstående att ha kommit på eller lanserat ett nytt ord.

Slentrian eller ren okunskap kan det ofta vara fråga om då människor inte bryr sig om att översätta engelska ord till svenska motsvarigheter, trots att de finns. På så sätt håller engelska ”manual” på att utplåna det svenska ”bruksanvisning”. Inte för att det direkt är ett bättre ord, men det står manual på bruksanvisningarna som oftast är på engelska, och då ids man antingen inte att översätta, eller så känner man helt enkelt inte till det svenska ordet.

På så sätt används många engelska ord helt onödigt i svenskan: ”highlights” – höjdpunkter, ”windsurfing” – brädsegling, ”kick off” – avspark, ”outstanding” – enastående, ”lookalike” – kopia, ”fastfood” – snabbmat, ”feedback” – återföring, -koppling, ”cv” – meritförteckning, ”hearing” – utfrågning, ”healing” – helande, ”headhunter” – huvudjägare, ”backgammon” – bräde (backgammon är ett spel som man spelar på ett bräde el. brädspel. Att kalla själva spelet för backgammon är ungefär lika riktigt som att kalla en kortlek för poker).

Man kan ju också nämna bruket att säga ”inlines” istället för att använda det inhemska ”rullskridskor”. För de allra flesta samhällsmedborgare är det helt ointressant att skilja på en rullskridsko av inlinestyp och en av den gamla modellen med parallella hjul, inte minst p g a att den förra idag utgör 98-99 % av marknaden. Det är som att kräva att man kallar vanliga bilar för bensinbilar för att skilja dem från dieseldrivna. Men här finns en stor ängslighet att göra fel och inte vara med sin tid, och det måste rimligen vara denna ängslan som bär skuld till att ett så otympligt och oböjligt lånord som ”inlines” för närvarande helt i onödan släpas runt i det svenska språket.

Yttre orsaker när lånord slår ut inhemska

När ett främmande ord ersätter ett liktydigt, som redan finns i svenskan, kan det också finnas yttre orsaker som påverkar. Om den tidigare konstaterade fåfängan och slentrianen utsätts för en praktisk, kulturell eller mental förändring så kan det vara tillräckligt för att det nya ordet tar över.

Bruket av ordet ”snacks” har brett ut sig och det används oftare än det äldre ”tilltugg”, ”cocktailtilltugg”. I det här fallet har folk ändrat sitt beteende; det är inte längre på samma sätt fråga om ”tilltugg” i betydelsen ”något man tuggar på till drinken”, utan chipsen, eller vad det nu är, har fått en större självständighet. Nu har de mer en huvudroll och uppfattas inte som ett komplement; man köper en påse jordnötsringar som man trycker i sig framför TV:n med en öl eller dricka till det, inte tvärtom. I den grad folk fortfarande serverar små snittar eller pinnmat till en drink kan jag tänka mig att man fortfarande föredrar ”tilltugg” framför ”snacks”.

”Skateboard” är ett ord som lanserades i svenskan omkring 1980, i samband med själva åkandet blev en stor fluga bland ungdomar. Det äldre namnet var ”rullbräda”, men det var ett åkdon som man i stort sett bara sett på bild i Kalle Anka. Det är nog ganska typiskt att när man verkligen kom i kontakt med själva brädorna, så övertog man också ett nytt namn från den egentliga källan, dvs den amerikanska ungdomskulturen. Kopplingen till det som knattarna åkt omkring på var inte tillräckligt stark för att det skulle framstå som ett enhetligt svenskt begrepp som kunde stå emot det amerikanska.

Man kan ju också jämföra med hur ett antal sporter tappat sin svenska benämning och istället fått den engelska i samband med att de fått högre status och man börjat tävla i dem. Korgboll gick bra så länge det var något skolbarn lekte, sedan blev det basket. Kägelspel blev bowling när det flyttade in från nöjesfälten till speciella klubblokaler. Och så vidare.

”Trailer”, med andra ord en kort snutt som ger glimtar ur en kommande film eller TV-serie, har länge varit ett etablerat fackord, men börjar nu också bli vanligt bland allmänheten. Dess genomslag beror säkert på att svenskan hade flera olika alternativ i det här fallet, utan att något fick ordentligt fäste. Bland de ord man försökte med var ”glimtare” definitivt bäst, eftersom det illustrerar vad det är frågan om. Men det förekom även ”blänkare” och ”dragare” (sistnämnda är en direktöversättning av ”trailer” i ordagrann betydelse). Om man enhetligt lanserat ”glimtare” så hade det säkert kunnat stå emot ”trailer”, men det här är ett bra exempel på hur en splittring i svenskan gynnar ett lånord.

Svenska motsvarigheter till lånord

Det finns ett och annat lånord idag där vi utan tvekan skulle vinna på att göra någon form av översättning. Ord eller uttryck som ”allround”, ”deadline”, ”kill your darlings”, ”handsfree”, ”one night stand” och ”trainee” är alla svåra att inrymma i svenskt ordbruk och böjningsmönster. Dessutom behöver vi ju som sagt öva oss i ordbildning. Att resultaten sedan inte alltid blir så lyckade får inte avskräcka. Det i Sverige påhittade ”freestyle” (heter ”walkman” på engelska) sökte man ett svenskt ord för, och den utlysta tävlingen vanns obegripligt nog av det hopplösa ”bärspelare”, som naturligtvis inte fått något genomslag. Men många andra ord har tillkommit genom tävlingar, såsom ”bil” (automobil) och ”snabbköp” (supermarket). Sedan behöver det inte drivas in i absurdum. Vi får i ärlighetens namn medge att jeanskulturen i Sverige nog fått en något annorlunda prägel om den äldre benämningen ”farmarkalsonger” avgått med segern.

Icke förty finns det ofta goda skäl att lansera inhemska ord eller översättningar. För ”one night stand” (förhållande som bara varar en natt) har jag hört ”hemmamatch” resp ”bortamatch”. Inte dumma alls, men de tvingar oss till en sakdistinktion som inte alltid är av så stort intresse i fallet (precis som vi måste skilja på ”farbror” och ”morbror” i svenskan, där engelskan bara har ”uncle”).

För modeordet ”peaka” (’nå sin höjdpunkt’) skulle jag gärna vilja föreslå ”toppa”, som är betydligt åskådligare (”Barnafödandet toppade i slutet av 80-talet, och har sen gått neråt”). För engelska ”Palm Pilot” har det utmärkta ”handdator” lanserats.

Trenden börjar nu allt mer gå i riktning mot att man översätter exempelvis nya IT-termer, på så vis har vi fått nya utmärkta begrepp som ”bredband”, ”hemsida”, ”brandvägg”, ”mjuk-” och ”hårdvara”. Även om de bara är översättningslån så hjälper de till att hålla liv i språkets förnyelse.

Nå, det viktiga är att vi behåller kapaciteten att kunna bilda orden när vi behöver dem. Det är villkoret för den mänskliga mentalitetens utveckling, att själv kunna benämna det man skapar. Vad hade ”astronaut” hetat om vi svenskar hade lett resorna till månen? ”Rymdman”, kanske? Eller ”rymdfarare”? Vad skulle vi kallat ”kidnappning”, om det dykt upp först hos oss? ”Barnsnattning”? Eller kanske ”bortrövande”, för att använda något som redan existerade.

Så långt skulle vi nog klara det, men vad skulle vi kallat ”alkohol”? Där börjar fantasin sättas på hårdare prov. Pröva själv: ”medicin”, ”internationell”, ”cylinder”, ”cd” …

9

köpsprit och livskvalitet

orden och mentaliteten

Folk är i allmänhet rädda för att bilda nya ord, eftersom de då på något sätt tror att de gör intrång på ett område som egentligen borde styras av fackmän. De flesta nybildningar tillkommer därför inte med avsikten ”nu ska jag tillföra språket ett helt nytt och mycket användbart ord”, utan mer som ett slags tillfälligheter. Och det är ju språkets grundstrategi: man hittar på något för att bli förstådd för stunden. Om ordet sedan visar sig livskraftigt och användbart kommer det att stanna kvar.

Ett exempel på spontan, omedveten ordbildning är alla nya, svenska verb. Det är lätt att hitta på verb i svenskan, långt lättare än i de flesta andra språk. En viktig orsak är nog att folk inte uppfattar det som att de bildar nya ord när de ”micrar”, ”faxar”, ”sms:ar” eller till och med ”tippexar” eller ”remålar”. De ser det mer som att de bara böjer ett redan existerande ord, annars skulle de kanske inte vara så modiga. Men det här har utvecklat sig till en utmärkt egenskap i svenskan: genom att hänga på ett ”a” på i stort sett vilket ord som helst så får man ett nytt verb. I engelskan måste man "do the dishes" eller "put out the cigarett" – i svenskan "diskar" och "fimpar" vi. Det finns i stort sett ingen handling som inte får ett eget verb i svenskan. Vi kan: tälta, luncha, semestra, jula, dua, banda, klocka, grogga, strula, mörka, glassa, näcka, nischa, taka (över), flumma, lyxa, bila, softa, helga, maska, sega, öla, flexa, chefa, fika, chatta, smöra, trollbinda, sjukfuska, dammsuga, mansgrisa, ångkoka, smalfilma, matvägra, myspysa, samåka, småhångla, smygröka, våldgästa, halvligga, busköra och vinterbada.

Ord på -are:

vinare
höjdare
syntare
bästsäljare
gördetsjälvare
solochvårare
dökinteuppare
förståsigpåare
rackabajsare
ettgreppsblandare
blandmissbrukare
nolltaxerare

På samma sätt är det med många andra nyord, de bildas först i slang, dialekt eller annat privatspråk. Sedan kan de efterhand adopteras av det mer normativa språket. Yngre generationer uppfattar nog knappast ens den slangdimensionen i ord som "kul", "tjej", "kille" och "macka". Och vem tänker idag på "strul" som ett dialektord, vilket det var fortfarande för ett par årtionden sedan.

Mycket av de ordbildningsmönster som är som mest levande idag är också helt knutna till det privata talspråket: substantiv på -is (dagis, mjukis, doldis), -are (fixare, joggare), -ing (värsting, snygging, hemvänding), -a (hallåa, rygga, påa) samt de ändelselösa abstrakterna (flyt, drag, lyft) för att bara nämna några exempel. Självfallet är det så – ju längre bort vi är ifrån den offentliga rollen, desto mer lekfulla vågar vi vara i vårt språk. Det är där vi törs prata om ”skyllet” eller ”tänket”, det är där ord som ”nollkoll” och ”trendnisse” kommer till, det är där man råkar kalla någonting för en ”petmoj” och därmed ovetande kanske lanserar ett nytt ord.

Det är också därför ordbildningen är så livaktig i samhällets periferier, exempelvis bland kåkfarare. De har länge haft sitt eget språkbruk, och många ordbildningar kan bära på häpnadsväckande kunskaper. Ta bara ett ord som ”gola” (’tjalla’), som mig veterligen inte är känt ifrån några andra kretsar. Det är en synnerligen avancerad bildning som går tillbaka på urgamla germanska språkmönster.

Ord på –ig:

raffig
mysig
kramig
damig
jolmig
klämmig
sjavig
hemtrevlig
byxmyndig
salongsfäig
gåpåig

I fornsvenskan (och urnordiskan) kan man bilda nya verb på preteritumformen av ett starkt verb. De får då betydelsen av att man förorsakar eller åstadkommer det som sägs i grundordet: till formen ”brann” (av ’brinna’) så bildar man ordet ”bränna”, ’få något att brinna’ (att det heter ”bränna” och inte ”branna” beror på omljud under medeltiden). Till ”for” (av ’fara’) bildar man ”föra”, ’få något att fara’, osv. ”Gola” måste rimligen vara bildat till ”gol” (av ’gala’), med en grundbetydelse ’få något att gala’ – d v s väcka tuppen, en symbolik för skvaller som har många paralleller. Benämningen på tjallare var dessutom länge ”goltupp” (idag lär det dock heta ”golbög”). Bildningen visar på vilken kontinuitet och kunskap i modersmålets lagar som kan leva på samhällets skuggsida.

Bland ungdomar är den relativt sentida ordbildningen på ”-o” synnerligen produktiv idag (typ ”slemmo”, ”fetto”, ”miffo” och ”pretto”). Den kan ha ett visst inflytande från engelskan (”weirdo”) men bygger också med all tydlighet på inhemska mönster. Sedan gammalt är ju ”fyllo” etablerat, men även ”tjabo” (egentligen från romani, ”tjavo”), ”lallo” (’lallig person, fåne’) samt ”lyllo” (’lyllos dig’) och ”grino” (’flinande person’) har äldre belägg. Typen kan nu även förekomma i sammansättningar (såsom det illustra ”sexfulo”) eller i kortformer av adjektiv (”värdo” – ’värdelös’, ”aggro” – ’aggressiv’).

Bland andra populära ändelser för adjektivbildning kan förstås nämnas -ig (skämmig, rockig) och

-bar (ätbar, förlängningsbar). Den stundom bland män förkommande skabrösa förkortningen ”psb” om kvinnor lär för övrigt utläsas ”påsättningsbar”.

De ovan diskuterade metaforerna ger också sitt aldrig sinande tillskott till förnyelsen av språket. Ofta kompletteras eller ersätts äldre med nyare: den som förr hade en skruv lös kan idag ha en härdsmälta, den som förr var ett jagat villebråd är det idag skottpengar på, det som för en tid sedan var hårfint kan det nu vara målfoto på.

Ord på -ing:
fossing
snygging
fuling
döing
småtting
vurping
inföding
uppkomling
raring
föredetting

Sedan har vi ju en uppsjö av förstärkningsled i det svenska språket, och det tillkommer hela tiden nya eftersom det går ett slags mode i dem. På 1940- och 50-talet använde man gärna ”ur-” (urfånig), ”pang-” (pangnyhet) och ”jubel-” (jubelidiot). Lite senare kom ”topp-” (toppmodern) och ”jätte-” (jättetuff). På 70-talet slog ”super-” (superhäftig) igenom. I början av 80-talet kom ”as-” (asläcker), sedan ”kanon-” (kanonbra), ”rå-” (råskön), ”mega-” (megastor) och ”fet-” (fetsnygg), vilka verkar vara livaktiga i vår tid.

Rent tekniskt bildas de ur sammansatta ord, där förledet verkligen betyder någonting. Ord som ”jättestor” betydde ’stor som en jätte’ och ”asmager” ’mager som ett as’. På samma sätt med ”stenhård”, ”dödssjuk”, ”råstark”, osv.

Svenska förstärkningsled: as-, skit-, mega-, super-, jätte-, kanon-, sten-, pang-, rå-, ur-, dö-, döds-, världs-, genom-, toppen-, botten-, storm-, hyper-, ärke-, tvär-, svin-, bauta-, fet-, ultra-, rekord-, skandal-, snor-, riks-, hyper-, bus-

Sedan suddas förleden ut i sin betydelse och blir bara förstärkande. För den som fortfarande uppfattar en konkret betydelse i förleden blir uttryck som ”jätteliten”, ”skitgott” och ”asfet” helt ologiska. Men de flesta tycks ha lätt att acceptera dem som bara förstärkande och kan även skapa nya ur specifika begrepp som ”kardinalfel”, ”bautasten” och ”tvärstanna”.

Vissa förstärkningsord tycks behålla sina metaforiska värden; ”spräng-” används exempelvis vad jag vet bara i sprängfull, sprängfylld, sprängiärd och sprängkåt, alla med en logisk liknelse (’så full av något att man riskerat att sprängas’). Mer oöverskådligt blir det med ”sten-”, som vid sidan av stenhård lever i stenrik, stenkul och möjligen stenbra – men annars inte (stensnygg tycks omöjligt, likaså stensnabb, stenskön, etc). Vad sådant beror på är svårt att säga, vissa led verkar kunna användas till att förstärka vadsomhelst, andra stelnar snabbt och begränsas till några enstaka ord.

Traditionellt ska ju verb inte kunna kompareras, men det finns en allt starkare tendens i ungdomligt språkbruk att åtminstone bilda ett slags komparativformer: "hångla" – vrålhångla, "haja" – fethaja. Dessa kan ha visst mönster i mer etablerade former som kanske är utlösta ur substantiv: "hårdbanta" (hårdbantning), "storstäda" (storstädning). På senare år har förledet "tok-", som i det här fallet står för hängivenhet och reservationslöshet, blivit allt vanligare. I från min omgivning av stockholmare i yngre medelåldern har jag bl a hört tokäta, tokköra, tokhaja, tokfesta och toksova.

Men bakgrunden till själva företeelsen kanske går att utröna. Varför har sådana här ord och uttryck haft en explosionsartad utveckling under 1900-talet? Enkelt uttryckt borde det ha med vår höjda levnadsstandard och vår ökade individuella frihet att göra. Det är ingen tvekan om att det är ungdomarna som driver på utvecklingen och inte heller någon tillfällighet att användandet av förstärkningsord skjuter fart på 1940- och 50-talet i samband med att den moderna ungdomskulturen föds. I vårt rörliga samhälle blir ungdomens situation präglat av val; man väljer utbildning, livsstil, klädattityd, konsumtion, musik med mera. För bara hundra år sedan var antalet sådana val mycket begränsat för de allra flesta. Man arbetade med samma sak som föräldrarna, anammade samma livsstil som dem (den livsstil som nästan alla arbetare hade, en livsstil som huvudsakligen gick ut på att arbeta och överleva), man gick klädd som alla andra och lyssnade på den musik som fanns till hands. Och så vidare.

Idag har vi råd med individualism. Varje person kan – och måste – välja en livsstil (att avstå från att välja är också ett val). Man sätts därför i mängder av valsituationer, för att klara dem måste man skaffa sig värderingar och kunna motivera sina val. Och det är här förstärkningsleden kommer in. De ökar kraftigt, eftersom behovet av värdeord generellt blir så stort. Man måste kunna uttrycka den ställning man tar, motivera de val man gör.

På samma sätt måste vi också förstå den allmänna ökningen och modet i värdeord, både positiva och negativa. Vi har en större frihet, och den för alltså enligt resonemanget ovan med sig ett större behov av värdeord. Säkert är det också förklaringen till den betydelseutveckling som ordet "hata" håller på att genomgå – hos barn och unga idag betyder det ungefär bara 'inte tycka om'. Här kan man utan tvekan avläsa det faktum att barn idag får en allt större frihet. För friheten inbegriper ökade möjligheter att påverka vuxna och andra i omgivningen. Man vill slippa saker som man inte uppskattar, och då använder man ordet utan täckning (man hatar egentligen inte alls fläskkotlett, man är bara mer sugen på korv).

Så slits ett ord ner, och bleknar i sin betydelse. Tänk bara på hur "tjej" idag ofta betecknar kvinnor upp i 60-årsåldern, vilket givetvis avspeglar viljan att vara ung i vår kultur. Alla kvinnor över tjugo med lite anseende gjorde anspråk på att vara en "dam" under 1900-talets första hälft. Sedan har ordet kommit allt mer på glid till förmån för "kvinna" och framför allt just "tjej", och idag används det väl mest om "gamla damer" (!). Förr eftersträvade unga tjejer att bli damer – idag är det precis omvänt.

Föråldrad barnuppfostran:
odygdspåse
framstjärt
klåfingrig
drullputte
tala med små bokstäver
torr bakom öronen
uppstudsig
lillturen
lymmel
slyngel
odåga
ögonaböj
marsch pannkaka

På liknande sätt kan man i många ord som slitits ner avläsa människors önskningar och vilja. Man frestas hela tiden att använda ord utanför deras egentliga betydelse, för att bättra på verkligheten. Titta bara på orden "nog", "väl" och "säkert" i meningar som "Jag kommer nog …" eller "De vill säkert köpa dina tavlor". En gång har de alla betytt 'absolut säkert, med hundraprocentig visshet'. Men eftersom människor med sin optimism och goda vilja använt dem långt utanför deras täckning betyder de idag 'antagligen, förmodligen'.

Synen på arbete

Därmed är vi inne på den intressanta avdelning som handlar om hur vi kan avläsa våra moderna, mentala förändringar i språkets utveckling. Vi berörde ju förhållandet mellan språket och tanken redan i början av boken. Nu är det dags att rannsaka vårt eget språk – vad kan det berätta om oss?

Låt oss börja med att titta på orden "arbete" och "arbeta". Det är nämligen ett begrepp som saknas i de flesta ursprungliga språk. "Hur i helsike kan det komma sig", undrar någon, "arbetat har väl människan gjort i alla tider?" Ja, men man har inte haft den synen på det som vi har. I ett primitivt språk har man många olika ord för olika sysslor vilka för oss har med arbete att göra, som "jaga", "samla", "gräva" och "fläta". Men man har inget sammanfattande ord för dessa sysslor. Därför att man lever i en kultur där allt är arbete och samtidigt ingenting är det. Skillnaden mellan att göra något för sitt uppehälle till skillnad från det man gör för nöjes skull tycks av olika skäl intressant först i det bofasta jordbrukssamhället och dess efterföljande kulturer.

Det är knappast någon tillfällighet att vårt ord ”arbeta” (lånord från tyskan) konkurrerat ut det äldre, svenska, liktydiga ”arvoda” just under medeltiden. Då förändrades och vidgades nämligen själva arbetsbegreppet med städernas och de mer borgerliga yrkenas framväxt. Allt arbete är då inte längre kroppsarbete. Det äldre ”arvoda” tycks ha haft mer med hårt slit att göra och är besläktat med ord för trälskap. Det är hänger också säkert samman med de stora förändringarna i 1900-talets arbetskultur att vi fått in ytterligare ett ord för själva företeelsen – nämligen ”jobba” (från engelskan).

Just den här luckan i ett språk (ord för arbeta saknas) skvallrar om att man i en primitiv kultur lägger tonvikten på *vad* man gör, inte så mycket *varför* man gör det. Vi tenderar att se det precis omvänt. Samma faktiska handling, att exempelvis måla om en båt, kan hos oss vara såväl att arbeta som att hålla på med en fritidssyssla – det beror på vem som gör det och situationen, om han får betalt, vems båten är. För oss är det ofta intressantare att särskilja *med vilket syfte* du gör något (arbetet som ett nödvändigt ont för att överleva) än *vad* du specifikt gör.

När vi talar om att en människa måste arbeta exempelvis på julafton, så ligger den viktiga informationen egentligen på vad hon inte kan göra, nämligen vara ledig. Tillspetsat kan man säga att ”arbeta” i vår kultur ofta betyder 'inte vara ledig'. Ser man det så blir det också naturligare att det saknas i en ursprunglig kultur, där man på sätt och vis är ledig jämnt (d v s man bestämmer själv när och hur mycket man arbetar).

Vårt arbetsbegrepp och användande av orden pekar däremot tydligt på att arbetet inte är en naturligt integrerad del av våra liv, utan att vi uppfattar det som en pålaga utifrån. Och titta bara på hur hårt vi skiljer på arbete och fritid; invandrare som driver servicebutiker har gärna med sig familjen och umgås på jobbet eller tittar på TV, något svenskar i allt väsentligt undviker. Att arbetet för oss snarare innebär ett rollspel än ett tillstånd är något som indirekt avspeglas i vårt språkbruk. Vi ser inte längre arbetet som något självklart i vår natur, utan som ett slags samhällelig inrättning. Hade det verkligen varit en naturlig del av våra liv hade vi kanske inte heller haft något ord för det.

Man behöver inga ord för det självklara

Man behöver nämligen sällan något ord för det som är självklart för en. Det brukar ofta pratas om att eskimåerna inte har något ord för "snö", men däremot typ 40 olika ord som betyder bland annat 'fallande snö' och 'blöt snö'. Oavsett om det är sant eller inte, så är det ett bra exempel på hur språket avspeglar mentaliteten hos dem som använder det. I det här fallet skulle det visa på att eskimåerna tycker att det är intressant att beskriva olika konsistenser och varianter av snö, men att de inte har något behov av att tala om "snö" i sig, eftersom den liksom är given. Det blir lika intressant som att tala om "barmark" i Sahara.

Det som alltså är det mest självklara, själva utgångspunkten, behöver man inget ord för. Om fisken hade ett språk skulle den knappast ha något ord för vatten. Detta – att man namnger det avvikande men inte det som man utgår ifrån – kan man hitta många och ganska fascinerande exempel på också i vår kultur. Ordet "hemmafru" existerade inte under 1900-talets första hälft, när de flesta kvinnor var just hemmafruar. Ordet dyker upp först på 1950-talet, när ett stigande antal kvinnor börjat arbeta utanför hemmet.

Stryk och bestraffningar:

smörj

dagsedel

rammelbuljong

hårdhandskarna

avbasning

bastonad

råkurr

risbastu

upptuktelse

hurril

I mina uppväxttrakter, där i stort sett all sprit är köpt på Systembolaget, skulle man aldrig komma på tanken att kalla denna för "köpsprit". Däremot talar man om ”hembränt” som ett begrepp, trots att det är mycket ovanligt. På sina håll i landet kan man däremot understundom höra kommentarer som ”Åh, har du köpsprit?!”

Samma mönster avspeglas när det gäller produktion av mer legala ting som bröd och bakverk. Äldre generationer svenskar kunde prata om ”köpebröd” som något extra fint. Man var van vid att allt bakades hemma, och det som inköptes från bageri eller konditori var speciellt. Under de senaste årtiondena, när nästan allt bröd blivit just ”köpebröd”, har ”hembakt” kommit att bli ett begrepp istället.

Det finns nu en rent faktisk skillnad mellan ”hembakt” och ”köpebröd”; det är inte bara något som människan gör sig en föreställning om. Men ibland kan ett nytt ord markera en förändring som är nästan omärklig, åtminstone till det yttre. ”Promenera” betyder i princip samma sak som ”gå”, åtminstone rent praktiskt, men ändå markerar ordet en viktig mental skillnad: *man går inte längre för att man måste, utan för nöjes skull.* Jämför med hur ommålningen av båten kan vara såväl arbete som fritidsyssla, aktiviteten är densamma men benämns olika beroende på vilken inställning den som utför handlingen har.

Hur vi själva ser på det vi gör kan alltså vara lika viktigt som den faktiska handlingen. Givetvis är det här dimensioner som bara kan uppkomma i en kultur där brödfödan i princip tas för given och där man fått ett allt större utrymme för människors känslor och attityder till saker och ting. Vi har alltså precis samma bakgrund här som till att värdeorden och förstärkningsleden ökat så kraftigt.

Den här mentaliteten avspeglas också i ett modeord som ”uppleva” och i en av 1970-talets stora modefraser: ”Jag känner inte för det.” Jag minns hur oerhört provocerande den meningen kunde vara för en äldre generation; om man var ung så skulle man överhuvudtaget inte intressera sig för om man kände för något eller inte, utan utföra de handlingar som man blev tillsagd. För många framstod det som ett förhatligt språkligt uttryck, men givetvis var det den bakomliggande mentaliteten och den ökade friheten som man egentligen fördömde (eller avundades).

Vi avslöjar oss i vårt språk

Det är nog ofta så att när nya språkliga uttryckssätt blir kritiserade är det mentaliteten bakom dem man egentligen vill åt. Men att då angripa språket istället för att analysera och kritisera de värderingar som ligger till grund för det – det är verkligen att rikta in siktet på fel mål.

Istället borde vi glädja oss åt och dra nytta av att vi kan utläsa så mycket om oss själva i förändringen av våra ord och begrepp. Ta bara en sådan enkel sak som att vi har ett ord för ”egoist” men egentligen inget för motsatsen (skulle väl vara ”altruist” eller kanske ”filantrop” då, men vem använder det idag?). I princip skvallrar det om att vi i grunden förväntar oss att människan är god och osjälvisk, en nog så intressant utgångspunkt.

Ordbildning med förnamn:

skinnknutte
slarvmaja
grinolle
drullputte
lapplisa
smörgåsnisse
trendnisse
charmknutte
bajamaja
piplisa
bollkalle
tråkmåns
turknutte

Jag hörde för en tid sedan en äldre kvinna som reagerade mot uttrycket ”skaffa barn”, som blivit allt vanligare. I hennes ungdom sade man inte så, menade hon, och det är säkert alldeles riktigt. Hon ansåg att barn är väl inte bara något man skaffar, men uttrycket avspeglar att många i yngre generationer anser det. Man tar ett beslut att skaffa barn, och man utgår i stort sett från att det är ens rättighet att få det. I utgångspunkten finns också förväntningen att vid eventuell barnlöshet ska samhället/staten agera och lösa problemen åt en. Det är mycket i vår kultur som vi tycker att staten har ett visst ansvar för. Att synen på barnen förändrats från att vara en (Guds) gåva till en rättighet avspeglar sig med all tydlighet i språket.

Tidpunkten då ord blir populära kan också vara av intresse. Att "strul" blev ett vanligt ord under 1980-talet är säkert ingen tillfällighet. Här hade länge funnits en lucka i språket, men först nu kom den att bli täckt. Många människor hade vid den här tiden kommit att leva med pressade tidscheman och små marginaler för att få det att gå ihop. Och när saker och ting går över styr kan det vara en mängd faktorer som är inblandade. Att då ha att samlingsnamn på 'trassel, oväntade problem och besvärliga omständigheter' visade sig vara smidigt på flera sätt.

På samma sätt är det ingen tillfällighet att ett ord som "fritid" seglat upp och blivit populärt under 1900-talet, liksom att "livsstil" de senaste årtiondena blivit ett allt frekventare begrepp. Och ett ord som "livskvalitet" är förstås oerhört typiskt för vår situation idag. Vad innefattar det, vad betyder det egentligen? Vi förknippar ordet med ett stressfritt liv, själsligt lugn och koncentration, kontakt med en ostörd natur, osv. Alltsammans är sådant som egentligen ingår i människans basutbud och ofta varit självklart för våra förfäder i äldre tid. Först när vi verkligen saknar det behöver vi ett ord för det.

Just det här främlingskapet för vårt ursprung är

tacksamt att ta sikte på. Det är inget nytt fenomen utan har långsamt vuxit fram under århundraden.

Sammansättningar av tre ord:

alltiallo

egnahemshus

hemmahosreportage

fullblodscyniker

allvädersstövel

helaftonsföreställning

goddagspilt

provrumspanik

gåbortkostym

gladprisresa

Titta bara på begreppet ”naturen”. Man skulle av naturliga skäl tycka att det borde vara urgammalt, eftersom den alltid funnits och i ett längre perspektiv är tämligen oföränderlig. I själva verket är det ett ganska ”nytt” begrepp, det är inlånat från latinet där det från början betyder ’födelse’. I den äldre fornsvenskan finns inget ord med den här betydelsen. Ordet ”naturen” har i själva verket fått en ökad användning under de sista århundradena, absurt nog i takt med att människan själv avlägsnat sig från den. Så länge folk verkligen levde i naturen var de mer intresserade av att kunna benämna dess alla skiftande beståndsdelar, olika slags sjöar och markbeskaffenhet, växtlighet och väderförändringar.

Det är inte säkert att de som levde i jägar- och samlarsamhället skulle förstå vad vi menade med ett sånt enormt vitt begrepp som ”naturen”. Eftersom den var självklar för dem, de levde ju mitt i den, så behövde de inget ord för den. Och vårt språkbruk avslöjar oss; det skvallrar om att vi inte riktigt tycker att vi själva längre hör dit. Precis som med arbetet så uppfattar vi naturen som något utanför oss själva. Vi är frikopplade från den, och även om vi ofta hyllar den och längtar till den, så hör vi till någonting annat – samhället. Följ med till det avslutande kapitlet så ska jag förklara närmare vad jag menar.

10

fiskgratänger och

hemmablindhet

den mänskliga

självunderskattningen

Det finns många olika orsaker till det förhållande vi har till vårt språk idag. En hel del av dem har jag redan berört, men i det här avslutande kapitlet ska jag försöka peka ut de viktigaste orsakerna. Jag ska också försöka att på ett tydligare sätt visa på farorna i dagens situation.

Som vi sett måste språket alltså alltid vara något föränderligt, som anpassar sig efter människans behov och följer hennes utveckling, både vad det gäller intellektet och det praktiska livet.

Men i dagens samhälle tycks många anse att språket helst inte ska förändra sig alls. Det ska vara som vi har lärt oss i skolan och som det står i böcker, punkt slut. Rätt ska vara rätt och fel ska vara fel, och fel är till för att rättas. Vi ska inte ha nåt jäkla ”ja ba” eller ”han är större än mig”, utan folk ska lära sig att prata och skriva ordentligt – riktig svenska.

Ser vi det historiskt blir det uppenbart vilken enorm mössa av övermod vi då sätter på vårt huvud. Språket (språken) har levt i minst 50 000, kanske mer än 100 000 år, och ständigt utvecklats.

Man kan ju med en dåres envishet försöka stanna den naturliga utvecklingen, men alla sådana försök är dömda att bli patetiska misslyckanden. Ändå försöker vi. Och då är det intressant att fråga sig varför. Hur har vi, som annars är så framstegsvänliga och helt och hållet präglade av det utvecklingsoptimistiska tänkandet, blivit så stockkonservativa på det här området?

Vi är ovana vid kollektivt ägande

Det finns flera förklaringsvägar. Men börja med att titta på vårt samhälle! Det är högt utvecklat på många plan. Det finns auktoriteter inom alla områden. Precis som det finns regeringar som styr över länder och chefer över företag, så finns det myndigheter som förutsätts bestämma över allt möjligt annat. Vi förväntar oss att det finns auktoriteter på nästan alla håll i samhället eftersom vi själva bara är med på ett litet hörn av helheten. Vi tillverkar exempelvis inte vår mat själva, den framställs i olika stordrifter och säljs i affärer, och då utgår vi ifrån att det finns en myndighet som styr och kontrollerar den här verksamheten. Vi skulle bli mycket förvånade om man fick sälja någonting som kallades fiskgratäng utan att det innehöll någon fisk, eller om det var okej att dryga ut chokladkakor med hönsfoder.

Vi förväntar oss att det finns lagar, bestämmelser och kontroll. Vi kan inte själva bära ansvaret för det; vi är ju bara en ynklig konsument i änden av en lång kedja. På samma sätt är det med lagar, förordningar och bestämmelser kring allting i vårt samhälle; vi har ansvar för oss själva och hur vi beter oss, men absolut inte för de stora systemen (det är ”samhällets” ansvar). Om ett hus är dåligt skött och kan skada människor med nedfallande delar är det ägarens ansvar. Om en hund anfaller små barn i en park är det samma sak. Vi förväntar oss att det finns en ägare, och om ägandet är mer kollektivt förväntar vi oss en myndighet.

Men språket har ingen ägare. Och ingen chef eller myndighet som ska bestämma över det. För språket äger vi alla, kollektivt. Och vi är mycket ovana vid kollektivt ägande, det mesta i vårt samhälle ägs av enskilda, som kan pekas ut, eller av stat eller kommun. Förr i världen ägde man ofta jord och skog tillsammans i byarna, medan vi på sin höjd kanske har någon gemensam park och äng (som vi ändå tycker att kommunen borde ta ansvar för). Vi är nog över huvud taget lite konfunderade över att vi kan äga någonting på det viset tillsammans med alla andra, och liksom dela ansvaret. För det innebär ju i praktiken att det inte kommer att gå att kontrollera.

Och allt som inte går att kontrollera blir i vårt kontrollsamhälle frustrerande. Vi vill att det ska gå att kontrollera saker och ting, vi vill att det ska finnas rätt och fel för det finns det på alla andra områden (att sälja fiskgratäng utan fisk är fel!). Härur hämtar språkrättaren sitt bränsle. Han eller hon uppfattar sig som en ställföreträdande polis som hjälper till att upprätthålla ordningen. Och i brist på skrivna lagar tar han/hon sin egen språkkompetens som mall; allt som inte stämmer med den är fel. Och här är man nästan aldrig objektiv. Det finns en språklig hemmablindhet hos människan, som ofta kan vara skrattretande.

När jag själv tecknade upp dialekt en sommar på åttiotalet så pratade jag med en gammal sörmländsk bonde som jag gärna ville göra en inspelning med. Han förklarade då för mig – på bred sörmländska – att det inte var någon större idé, eftersom de inte talade någon speciell dialekt just i den delen av landskapet. Om jag däremot gav mig iväg några mil norrut, eller västerut, eller öster- eller söderut, så talades det olika dialekter som kunde vara intressanta för mig att spela in. Och så är det förstås, det man är van vid tycker man är det självklara. Det är andra som avviker. Precis samma kortsiktiga resonemang ligger bakom åsikten, att folk som inte pratar som jag har lärt mig i skolan, de pratar fel.

Med denna hemmablindhet försöker vi ställa upp som väktare för det vi tror är riktigt i språket. Utan att överdriva kan man säga att förutsättningarna inte är de bästa.

Svensk mentalitet?

Även om allt detta har mycket har att göra med fenomen som allmänt hör till den moderna västvärlden, så är det frestande att se den hårddragna varianten av den här attityden som ett utslag av den svenska mentaliteten. Enligt alla tillgängliga fördomar är vi svenskar stela och underdåniga inför myndigheter, verkliga som imaginära. Och det finns en verklighet bakom de fördomarna. Är inte hela inställningen till vårt språk präglad av vår fantasilösa och nitiska tjänstemannasjäl? Vi är ju kända för att vilja ha ordning och reda, måttfullhet och en allmänt nedvärderande inställning till oss själva. Är inte den allmänna uppfattningen om språket bara ett utslag av denna stela och självkritiska hållning, som är välkänd från många andra håll i vår kultur?

Delvis är den kanske det. Den tydliga utvecklingen mot ett talspråk präglat av läsuttal är inte något generellt fenomen i västvärlden. Just den tendensen är, om inte unikt svensk, så åtminstone ovanligt

kraftfull hos oss. Danskarna har den exempelvis inte – tvärtom sprider sig där det ganska hårt reducerade köpenhamnska uttalet alltmer utanför huvudstaden. Man ser lätt ett samband här med att danskarna är betydligt mer ”sig själv nog” än vad svenskarna är: de saknar mycket av vår ängsliga trendkänslighet och håller i stor utsträckning på sitt. (Något som tyvärr också tar sig osunda uttryck i inställningen till invandrare.) I Sverige är osvensk ett positivt begrepp – i Danmark är odansk något uttalat negativt. Det säger en hel del.

Är brist på stolthet en av de bakomliggande faktorerna till den svenska språksynen – oavsett om man nu tycker att den bristen är av ondo eller inte? Det är frestande att uppfatta det så. Som vi tidigare sett så går den svenska talspråksutvecklingen i en tydlig riktning mot alltmer läsuttal – utom på en punkt: de anglosaxiska lånorden. De uttalas istället tvärtom – allt mindre efter bokstaven, alltmer som i amerikanskan eller engelskan. Det uppenbara lillebrorskomplexet går inte att dölja. Vi tycker i princip att allt uttal som inte går efter bokstaven är slarvigt – om det inte kommer USA/England. Då är det istället högst eftersträvansvärt.

Tendensen visar inte bara hur präglade vi är av den amerikanska kultursfären. Vi ser också att vi som en följd av detta kan acceptera och eftersträva att följa

deras talspråkliga tradition, samtidigt som vi, medvetet eller omedvetet, alltmer underkänner vår egen. Det är kanske farligt att dra för stora växlar på detta – det behöver ju inte vara samma människor som spär på bägge tendenserna (även om det inte är osannolikt). Men nog tycker man sig ana spåren av en ängsligt underdånig och överdrivet självkritisk hållning här – en hållning som vi svenskar i vår politiska korrekthet ofta finner mycket klädsam.

Samhället har andra intressen

Den svenska mentaliteten och läsuttalen är en sak. Men den orättvisa värderingen mellan talspråk och skriftspråk är en global företeelse. Talspråket är människans eget – skriftspråket är i stor utsträckning samhällets. Och samhällets och människans intressen går inte alltid samma vägar, något många av oss säkert fått erfara på andra håll.

På många sätt har samhället byggts upp så att den föränderlighet och ständiga utveckling, som är människans naturliga, blir till en belastning för samhället självt. Anledningen till att vi över huvud taget har ett svenskt riksspråk – liksom att alla andra länder har sina – är av nationalpolitiska skäl i stor utsträckning. Under medeltiden fanns bara ett antal besläktade dialekter som talades inom landets gränser, men vartefter den centralstyrda nationalstaten växte fram behövdes ett skrivet riksspråk. Och än idag är det en förutsättning för demokratin i varje land, att det finns ett gemensamt språk som alla kan ta del av och förstå varandra med. Ett språk som regering, riksdag och myndigheter kan förmedla sig till oss dödliga på, och vice versa. Självklart kan länder som Belgien och Schweiz fungera fast invånarna är splittrade på flera olika språk, men flerspråkigheten är en ekonomisk belastning för varje stat. Och dialekter och varianter kan inte beredas utrymme inom centralmakten, utan varje språk måste renodlas i en form.

För att allt detta ska fungera behöver språket regleras, man måste slå fast vad som är exempelvis normal skriven svenska, det språk som vi skriver våra lagar på, osv. Ur det rent samhälleliga perspektivet kan man gott säga att den mesta språkliga utvecklingen är av ondo. Den ställer till komplikationer, risker för missuppfattningar, behov av ständiga omskrivningar, bearbetningar och uppdateringar, osäkerheter kring normer som hela tiden ändras liksom ords laddningar och värden. Listan kan göras lång. Ur det här perspektivet vore det mycket bättre om det rådde ett stillestånd i språket. Det skulle spara tid, pengar och möda och göra saker mer rationella.

Våra mänskliga grundbehov ställer alltså till problem för världens utveckling. I de kalkyler som ligger bakom olika framstegsprocesser har man kanske räknat med att vi ska kunna lägga band på vårt språkliga utvecklingsbehov, eller helt enkelt inte reflekterat över det. Många nya tekniska innovationer förutsätter eller föredrar åtminstone ett så statiskt tillstånd i språket som möjligt. Titta på hela den framväxande IT-världen, där varje alternativ stavning av ett ord kan vålla enorma problem. Ju mer fastlagt språket blir, desto bättre flyter hela det nya nätsamhället. Vi måste ha samma uppsättning bokstäver internationellt, vilket innebär att våra "å", "ä" och "ö" får offras – hur många nya företagsnamn tror ni i fortsättningen kommer innehålla de bokstäverna? Och moderna språkliga hjälpmedel, som stavningsprogram i datorn, bidrar i högsta grad till att sprida känslan av att språket är något bestämt och färdigt – varje exempel på språklig kreativitet eller oförutsägbarhet hälsas med en röd understrykning. För att vi maximalt ska kunna utnyttja många av de senaste årens landvinningar inom teknik och IT skulle det sitta perfekt med en närmast hundraprocentig permanentning av språket – som därmed indirekt skulle bromsa det mänskliga intellektets utveckling!

Samhällets och människans intressen är alltså inte alltid förenliga, vilket kan vara allvarligt nog. Men det vi hela tiden skymtar i den här boken är ju att i konfliktsituationen mellan våra egna och samhällets intressen så väljer vi ofta att ställa oss på – samhällets sida! Det är ett irrationellt beteende och visar med all tydlighet var vår lojalitet tycks ligga. När vårt språk inte överensstämmer med det vi uppfattar som de samhälleliga intressena, försöker vi på olika sätt foga det därtill. Det finns en skrämmande logik i ett sådant beteende, ungefär i nivå med den berömda militärdevisen: ”Om terrängen och kartan inte överensstämmer, så gäller kartan.” Vi utgår inte ifrån den faktiska verkligheten, dvs våra mänskliga förutsättningar, utan ifrån vår samhälleliga idealbild av verkligheten och oss själva (vår karta!).

I det här fallet kan det svenska beteendet och mentaliteten bara ses som en tillspetsad och extra tydlig illustration av en tendens som finns allmänt hos den moderna människan. Vi svenskar är kanske osäkrare än andra och då framträder det tydligare hos oss.

Det faller utanför den här bokens ramar att på något djupare plan tolka den nutida människans problemkomplex, men låt mig bara som avslutning lite skissartat få antyda några mönster i vår moderna livssituation, som jag tror kan kopplas till det beteende jag diskuterat i boken.

Den mänskliga självunderskattningen

Låt oss tänka oss ett mänskligt självförtroende, som är kollektivt. Det har ingenting att göra med vars och ens individuella självförtroende. Det ska ses som summan av det förtroende som vi känner för våra rent mänskliga, nedärvda eller tidigt inlärda egenskaper i jämförelse med all den kapacitet som vårt omgivande samhälle visar. När det kommer till konfliktsituationer mellan mänskliga och samhälleliga intressen – hur stort är det mänskliga självförtroendet då?

I vårt moderna, dagliga liv omger vi oss med olika tekniska hjälpmedel och uppfinningar (från skriftspråk till elektriska tandborstar och helelektroniska planeringskalendrar) som klarar av, eller åtminstone verkar klara av, saker bättre än vi själva. Samhället är idag oerhört avancerat och kompetent och inte alls lika mycket beroende av människan som hon är av samhället. Det är knappast någon tvekan om att det någonstans påverkar oss självförtroendemässigt. Ställt på sin spets behövs människan idag ibland inte till annat än att konsumera och finnas till, hennes överlevnad är ändå i stort sett säkrad. Det är då inte alls konstigt att man i olika sammanhang börjat prata om "det unika" med människan, och att man på olika sätt försöker framhäva hennes mångsidighet för att höja hennes status. Människan tycks behöva peppas i sitt självförtroende, för mer eller mindre omedvetet tvivlar hon nog lite på sig själv. Det är det som jag menar med den mänskliga självunderskattnigen.

Det är en naturlig utveckling, eftersom ett högteknologiskt samhälle väldigt mycket är sig själv nog. Det är visserligen skapat för människan och hennes bekvämlighet, men när det väl satts igång är det så pass komplicerat att underhålla, övervaka och reglera att människan själv lätt ställs åt sidan.

Men det är ändå ett förvånansvärt ouppmärksammat problem, detta att människan har så låg status i sitt eget samhälle. För vi lever i en värld där ”den mänskliga faktorn” är någonting negativt – inte något positivt som det väl rimligen borde vara. Än en gång tycks vårt språkbruk avslöja något centralt i vår mentalitet. Än en gång röjer vi att vi i mycket står på samhällets sida, den offentliga – inte på den mänskliga. Den mänskliga faktorn inträder när människan är mänsklig, helt enkelt. Att vi uttrycker det så antyder det att vi på något obegripligt vis förväntar oss att hon egentligen skulle vara omänsklig. Den mänskliga faktorn gör sådana fel som människor normalt gör, och som vi inte tillräckligt noga garderat oss mot. Det verkar som vi accepterar att ha en värld där vi måste gardera oss mot mänsklighet.

Att människan på detta vis sätter sig själv på pottkanten i sitt eget samhälle kan ingen enskild, inte ens ett helt kön, ges skulden för. Men nog är det frestande att se ett sammanhang med att det är männen, vilka är så skickliga i rationellt tänkande och i att hålla känsloargument stången, som i mycket styrt världsutvecklingen till den punkt vi idag står vid. Kanske har det aldrig slagit dem att det skulle finnas gränser för människans förmåga att anpassa sig efter allt nytt, liksom att hon rent mentalt skulle påverkas av att hamna i det underläge gentemot samhället som hon nu befinner sig i.

Genom den största delen av historiens gång har människan litat på sina intryck och erfarenheter, på så vis har hennes värld och intelligens utvecklats. Vad som nu händer, om hon inte vågar tilltro sina egna sinnen, färdigheter och rent mänskliga egenskaper, vet ingen. Men våra försök att anpassa vårt talspråk efter skriften visar egentligen på en skrämmande logik. Utvecklingsmässigt kan det jämföras med om vi först skapat en robot och konstruerat den så att den skulle gå så likt en människa som möjligt, men sedan själva försökte lära oss att gå som robotar istället, eftersom de går mycket jämnare och finare och inte lika slarvigt som människor. Och vi kan aldrig komma ifrån att det är det redskap som gett oss vårt intellekt, vår fria vilja och vår mänskliga kultur som vi nu väljer att försöka tygla, tämja och stympa.

Om språket ska få fortsätta sin naturliga utveckling så måste mänskliga egenskaper och funktioner återta en del av de värden som de förlorat. Om vi fortsätter att försöka omskapa oss själva för att bättre fungera i vårt samhälle, genom att exempelvis teknologisera vårt språk, så har vi valt väg. Då har vi valt att omforma människan efter samhället, istället för att forma samhället efter människan.

Vidareläsningstips

För den som vill fördjupa sig i någon av de diskuterade språkfrågorna bifogar jag här en litteratur- och vidareläsningslista.

Allmänt och övergripande om språk finns många böcker, men jag rekommenderar i första hand Bertil Malmbergs utmärkta *Språket och människan* (1970). Här finns infallsvinklar på mängder av språkfrågor som rör språkens och semantikens grundväsen, vilka jag diskuterar i kapitel 2. Om språkens uppkomst allmänt (och även det svenska nationalspråkets dito) har Tore Janson skrivit om i *Språken och historien* (1997). Ett allmänverk, om än mer inriktat på språkfrågor i svenskan idag, är också Margareta Westmans underhållande *I språkets lustgård och djungel* (1994).

Ett annat verk som tar upp en hel del av den här bokens frågor är Ulf Telemans *Språkrätt* (1979). Där behandlas spörsmålet med det språkliga förhållandet emellan individ, samhälle, vem och vad som styr och har rätt att styra. En hel del sådant, om än ur sakligt annorlunda infallsvinkel finns i L G Anderssons lättillgängliga *Fult språk* (1996). Specifikt om ägandet av språket, som jag diskuterar i kapitel 1, finns i en artikel av Arne Hamburger *Sproget er folkets egendom* i Språkvård 3 1991 samt i Martin Gellerstams uppsats *Lexikografen som vakthund* i Språket lever (1996), ett verk som också innehåller många andra intressanta språkuppsatser.

När det gäller frågor om språkvård och värderingar i allmänhet kan jag bland många tipsa om följande verk: Karl-Hampus Dahlstedt *Språkvård och samhällssyn* i Språk, språkvård och kommunikation 1967, Ulf Telemans *Svenskan och språkvården under 40 år* i Språkvård 4 1984, Mats Thelanders *Språk och värderingar* i Språkvård 4 1982 samt Margareta Westmans *Språkvården i framtidsperspektiv* i Språkvård 4 1985.

När det gäller talet och skriften (kapitel 3) så bygger jag mycket på Walter Ongs bok *Muntlig och skriftlig kultur* (1991), som också är en utmärkt fördjupning för den som är intresserad. Om hur man talade förr, vilket berörs i kapitel 4, har Gun Widmark skrivit mycket om, bland annat i *Boksvenska och talsvenska* i Språk och stil 1 1991. I samband med svenska språkets långsiktiga utveckling förtjänar också det förnämliga verket *Svenskan i tusen år* (1996) att nämnas.

Rätt och fel som diskuteras i kapitel 5 saknar några standardverk som tar sig an problemen ur den infallsvinkel jag här företräder (om man nu inte ser Ulf Telemans *Språkrätt* som ett sådant). Förutom självklara ordlistor o d för praktiska besked om vad som anses som norm kan Gösta Åbergs förhållandevis nyanserade lilla uppslagsbok *Hur ska det heta?* (1994) nämnas. När det specifikt gäller särskrivning så finns t ex en uppsats av Britta Eklund *Om särskrivning av sammansatta ord* i Språkvård 2 1986.

När det gäller barns språkutveckling (kapitel 6) så finns standardverket Ragnhild Söderberghs *Barnets tidiga språkutveckling*, vilket jag här bygger på tillsammans med mina egna rön och slutsatser. Teorier om den moderna människans privata och offentliga roller (kapitel 7) återfinns i Jürgen Habermas storverk *Borgerlig offentlighet* (1998). Han koncentrerar sig huvudsakligen på ett äldre historiskt förlopp och mina teorier bygger dock bara i en begränsad utsträckning på hans tankar, som för övrigt inte alltid är helt lättillgängliga. Om detta finns också en del att läsa i Telemans bok.

När det sedan gäller svenskans utveckling under 1900-talet har det skrivits mycket men två uppsatser av Bertil Molde och Carl-Ivar Ståhle i boken *1900-talssvenska* (1970) tar upp det viktigaste, men lämnar alltså av naturliga skäl de senaste 30 åren därhän. Bertil Molde har senare också skrivit *Svenskan idag* (1992). Mycket som är av intresse i sammanhanget tas också upp i antologin *Studier i dagens svenska* (red. Bertil Molde, 1971).

Om lånord finns bland annat: L-E Edlund och B Henes *Lånord i svenskan* (1992), Judith Crystals *Engelskan i svensk dagspress* (1988), Ragnhild Söderberghs *Om engelskans inflytande på svenskan* i Svenska studier från runtid till nutid 1973. Specifikt om uttalet av dem har bl a Gun Widmark skrivit i *Om uttal och uttalsnormering* i Ord och Stil 4 1972 och Rolf Hillman *Förskjutningen av uttalet av främmande ord i svenskan* i Svenska studier från runtid till nutid 1973.

Om den svenska mentaliteten slutligen har Åke Daun skrivit en intressant bok med det passande namnet *Svensk mentalitet* (1998).